Hauteville House

Eh! j'…

Vous avez, madame, toutes
les grâces, celles de la beauté
et celles de la bonté. Vous
avez une façon de remercier
qui fait qu'on demeure
votre obligé. Je vous ai
envoyé une tempête, et
vous me répondez par un sourire.
Mon effet d'ouragan ne
vaut un effet de soleil. Si
vous saviez comme votre
promesse est charmante! quand
vous arriverez, …

Victor Hugo
Le voyageur illuminé

Belgique et autres lieux

Queen's Gate School

presented to

Sara Tombolis

for excellence in French

by Madame Delbarry

Victor Hugo
Le voyageur illuminé

Belgique et autres lieux

Textes choisis par Pierre Arty

KIRON
ÉDITIONS
DU FÉLIN

DEXIA

Sur une idée de Pierre Arty, cet ouvrage est une réédition revue et augmentée de son livre édité en 1968 aux Editions Desoer (Liège) sous le titre *La Belgique selon Victor Hugo*, dans la Collection «Belgique des Arts».

Coordination éditoriale
Renaud Gahide, responsable des éditions de Dexia Banque
Benoît Goffin, assistant d'édition
Anne Delrue, stagiaire

Coordination technique
Le Service Publications de Dexia Banque, sous la direction de Fabienne Carlier

Maquette
Jean Verscheure, Bruxelles

Photogravure et impression
Imprimerie Lannoo, Tielt

Bruxelles, 2002
© Dexia Banque 2002
D/2002/0348/3
ISBN 2-87193-289-1

Cet ouvrage, publié sous l'égide de KIRON,
centre d'art, de culture et de communication,
a été réalisé à l'occasion du bicentenaire
de la naissance de Victor Hugo.
Paris, 2002
© Editions du Félin, 2002
Dépôt légal: janvier 2002
ISBN: 2-86645-432-4
CDE/SODIS: 954588-7

Préface

Victor Hugo, l'homme qui marche

Victor Hugo n'aimait pas les bibliothèques: «Je hais cette submersion», disait-il.
Un paradoxe hugolien, alors que sa prospère postérité triomphe en ce début de
siècle qu'on dirait hugolâtre? Ce que révèle cette correspondance – abondamment
illustrée de ses dessins mêlés aux œuvres d'autres peintres – c'est l'«immersion» de
Hugo voyageur.
Dans ses lettres rassemblées par Pierre Arty, Hugo parcourt le monde, enfin ce
monde qui est le sien, en exilé ou en «touriste», principalement en Belgique.
Car Hugo voyage peu. Il ne fera pas de pèlerinages en Orient comme Flaubert, ou
vers la Grèce, et n'abordera pas en Amérique qu'il imagine «sans âme, ouvrière
glacée», au diapason d'un Baudelaire qui redoute l'«américanisation» de la société.
Mais quand Hugo voyage, si peu loin même de France, surgit un monde que lui
seul semble apercevoir.
Hugo aura une véritable passion pour la Belgique. Terre refuge pendant ses exils
politiques, base arrière pour ses allers et retours vers Jersey et Guernesey, elle lui
devient comme une seconde patrie où il est souvent fêté, où on le consulte, et pas
seulement en politique. Un pays d'accueil qu'il aime et qu'il connaît bien, jusqu'à lui
consacrer, avec ses amis Alexandre Dumas et Théophile Gautier, un guide
touristique... Et Hugo, qui aime la surprise de la découverte, le sursaut de l'étrange,
élabore une méthode pour ses fugues. Il y a deux façons de voir une ville, dit-il, qui
se complètent l'une l'autre, «en détail d'abord, rue à rue et maison à maison;
ensuite du haut des clochers. De cette manière, on a dans l'esprit la face et le profil
de la ville.»

Hugo voyageur, c'est Hugo décrypteur. Tout paysage devient méditation, toute
pierre se marque du sceau du mystère. Hugo aime le pittoresque – le mot revient
souvent; il aime le beau, scrute le difforme et note avec gourmandise la mélodie
des sons et des couleurs, les odeurs douces ou acides.
Lire ces correspondances qu'il adresse à sa femme ou à Juliette Drouet, sa maîtresse,
c'est deviner le «musée imaginaire» de Hugo. Et s'il ne développe pas une théorie
particulière de l'esthétique, son regard enveloppe d'une façon qui nous est proche

les «choses vues»: «Pour l'art rien n'est laid, écrit-il, rien n'est impur, c'est ce qu'on n'a pas encore voulu comprendre de nos jours. Les objets de la nature les plus repoussants lui donnent des motifs admirables. Nous estimons une araignée chose hideuse, et nous sommes ravis de retrouver sa toile en rosace sur les façades des cathédrales, et son corps et ses pattes en clef de voûte dans les chapelles.»

Hugo, chroniqueur-voyageur, n'est jamais passif. D'un regard fiévreux, il scrute le bizarre, découvre l'âme d'une histoire passée. Un pan de citadelle usée, la courbe d'un fleuve, une chapelle en ruine, et soudain surgissent les fantômes du Saint Empire germanique, tandis que, sur le front des bateliers et dans le regard d'une aubergiste, s'anime pour lui le murmure des foules anciennes. Un merveilleux, une exaltation qui se retrouveront plus encore dans ses textes sur le Rhin.

Avec Hugo, le réel aperçu vacille, devient le support de métamorphoses subtiles. A Bruxelles, dans la cathédrale Sainte-Gudule, «Les fidèles semblaient de pierre, les statues semblaient vivre». A Anvers, où il monte les six cent seize marches qui mènent au clocher, la plus haute flèche du monde après Strasbourg, il note: «C'est tout à la fois un édifice gigantesque et un bijou miraculeux. Un titan pourrait y habiter, une femme voudrait l'avoir à son cou.» Hugo poète, oui, évidemment...

La lecture de cette correspondance de Hugo, c'est la découverte d'un regard étonnamment moderne sur le monde. Alors que l'ère des musées en Europe en est encore à ses débuts, Hugo fait du monde un musée vivant. Romantique, il magnifie les souvenirs du Moyen Âge; moderne, il est frappé, à Liège, par l'étrange beauté, inquiétante, des paysages industriels: «Ce spectacle de guerre est donné par la paix; cette copie effroyable de la dévastation est faite par l'industrie. [...] J'ai eu la curiosité de mettre pied à terre et de m'approcher d'un de ces antres. Là, j'ai véritablement admiré l'industrie. C'est un beau et prodigieux spectacle, qui, la nuit, semble emprunter à la tristesse solennelle de l'heure quelque chose de surnaturel. Les roues, les scies, les chaudières, les laminoirs, les cylindres, les balanciers, tous ces monstres de cuivre, de tôle et d'airain que nous nommons des machines et que la vapeur fait vivre d'une vie effrayante et terrible, mugissent, sifflent, grincent, râlent, déchirent le bronze [...], hurlent avec douleur dans l'atmosphère ardente de l'usine, comme des hydres et des dragons tourmentés par des démons en enfer.» Une vision d'apocalypse, fascinante, à laquelle il ne manque que la touche «sociale» d'un Zola, et la fièvre d'un surréaliste excité par la fée électricité...

Hugo voyageur, à travers ces quelques lettres réunies dans cet ouvrage, c'est Hugo écrivain... tout simplement, a-t-on envie d'ajouter. Car si Hugo n'aimait pas les bibliothèques, c'est peut-être qu'il était l'homme-livre. Un écrivain routard avant l'heure – la formule est séduisante, quoique anachronique – pour qui le voyage était toujours un excitant intellectuel, un cheminement avec les mots. Victor Hugo, l'homme qui va? Dans la vie, disait-il, ce qui importe, «ce n'est pas de toucher le but, c'est d'être en marche». Dans son œuvre, comme dans ses pérégrinations, Hugo a toujours aimé l'air du grand large.

Bernard LEFORT

Avant-propos

Victor Hugo a beaucoup aimé la Belgique. La Belgique a beaucoup aimé Victor Hugo.

Qui veut s'en convaincre n'a qu'à lire le petit livre si précieux des lettres que nous présente Pierre Arty: *La Belgique selon Victor Hugo*.

Mais tout d'abord, entrons au cœur du sujet, en lisant les lettres de Hugo sur sa chère Belgique, qui lui fit souvent un si grand accueil, la Belgique où il devait terminer certains de ses chefs-d'œuvre, la Belgique dont ses dessins vraiment sublimes évoquent maintes fois les paysages et les monuments, la Belgique où se maria son fils aîné, Charles Hugo, lui-même très doué pour les arts plastiques, la Belgique où naquirent ses petits-enfants et où il ferma les yeux de Madame Victor Hugo, de celle qui avait été sa Doña Sol quand il créait *Hernani*.

D'aucuns ont fait grief à Olympio d'avoir surtout évoqué une Belgique monumentale, de l'avoir contemplée de l'extérieur, de trop négliger le secret de sa vie profonde. Ce n'est pas tout à fait exact. Hugo cherchait surtout le «substratum» des lieux parcourus, l'existence historique de ces patries qu'il découvrait.

Certains lui ont reproché de n'avoir vu dans les basiliques qu'il visitait que des motifs d'antiquaire, que des curiosités au sens de Du Sommerard. C'est trop ignorer que Victor Hugo, sans avoir été baptisé, n'a jamais cessé de demeurer sur le seuil de la chrétienté, disciple de Lamennais bien plus que de Béranger.

Jusqu'à ces dernières années, on aurait pu dire d'Olympio ce que devait dire, un jour, de lui-même Henri Matisse, qu'il avait «une conception religieuse de la vie». C'est pourquoi, avant de mourir, Hugo a voulu s'entretenir deux fois avec un saint: Dom Bosco.

Ce qu'on oublie aussi, c'est qu'au cours de la plupart de ses voyages, et notamment en Belgique, Hugo avait une compagne, élevée, elle, dans la foi catholique, et dont l'incomparable dévouement a suppléé aux défaillances de l'épouse légitime, tombée dans les bras de Sainte-Beuve.

1837, date du premier voyage de Victor Hugo en Belgique, c'est aussi l'année de la première visite d'Olympio et de Juliette à l'église de Bièvres. «C'était une humble église — au cintre surbaissé — l'église où nous entrâmes.» Cela veut dire avec quel respect Juliette Drouet et Victor Hugo visitèrent les lieux saints en Belgique, comme, d'ailleurs, en France, au Luxembourg et sur les bords du Rhin.

Retenons cependant que les pages sur la Belgique sont d'abord des lettres, adressées soit à Madame Victor Hugo, soit au peintre Louis Boulanger, qu'Olympio eut le tort de vouloir égaler à Eugène Delacroix.

Quant aux correspondances de Hugo sur la Belgique, elles sont d'un ton familier, très détendu, avec le souci de ne pas ennuyer la lectrice ou le lecteur et, bien au contraire, avec le propos de les dérider. De là, certains jugements, un peu hâtifs, sur lesquels le voyageur se garde de revenir.

Bien entendu, à cette époque, la Belgique ignore les difficultés linguistiques. Pour Hugo, dès qu'il gagne Bruxelles, tout est flamand, et il ne songe pas un instant que le ver est dans le fruit et que des problèmes d'une extrême gravité puissent jamais bouleverser la paisible Belgique de Léopold Ier.

Au reste, il n'est pas des plus tendres à l'égard de la Flandre française, et particulièrement pour Cambrai et Valenciennes.

Bruxelles, au contraire, l'éblouit. Ah! il ne songe pas à débaptiser Sainte-Gudule! Le 17 août, à 8 heures du soir, il fait part à Madame Hugo de son émerveillement: «Les vitraux de Sainte-Gudule sont d'une façon presque inconnue en France, de vraies peintures, de vrais tableaux sur verre d'un style merveilleux, avec des figures comme Titien et des architectures comme Paul Véronèse...»

Notons ceci. C'est seulement pendant le premier voyage en Belgique — 1837 — que les lettres de Victor Hugo s'enrichissent de croquis, de dessins soulignant et commentant le texte. Ce qui manque à Hugo — ce précurseur — ce sont des disques pour enregistrer, presque dans chaque ville, ces carillons qui l'enchantent. Celui de Malines l'enthousiasme à tel point qu'il lui consacrera un poème dans *Les Rayons et les Ombres*: «Ecrit sur la vitre d'une fenêtre flamande.» Malines, d'ailleurs et son hôtel de ville lui inspirent un dessin.

C'est dans le trajet d'Anvers à Bruxelles que Victor Hugo fait la connaissance du chemin de fer et qu'il imagine la locomotive aux formes fantastiques dont on reproduisit bien souvent la description.

A Gand, le poète rencontre Charles Quint auquel il décoche des fléchettes: «Gand est encore tout plein de Charles Quint. Ce Don Carlos était fort libertin dans sa jeunesse, n'en déplaise aux contradicteurs d'*Hernani*.»

A Malines, Victor Hugo continue de grimper sur les toits: «La tour terrifie, j'y suis monté. Trois cent soixante-dix-sept pieds de haut, cinq cent cinquante-quatre marches. Presque le double des tours de Notre-Dame.»

A Anvers, le 22 août, le rail trouve enfin grâce aux yeux du grand lyrique: «Je suis réconcilié avec les chemins de fer. C'est décidément très beau». Ce sont alors de véritables visions à la Turner.

Quand il n'écrit pas, quand il ne lit pas, quand il ne se promène pas, Hugo rêve du passé et de l'avenir. Se trouve-t-il à Menin, qui n'est pas un des joyaux de la frontière, il y évoque cependant des souvenirs bien oubliés: «Menin a eu l'honneur d'être assiégée par Louis XIV, c'est une femme laide et commune qui a eu, par hasard, un bel amoureux...»

Pour lui, nous le savons, le bilinguisme n'existe pas: «J'admire, dit-il, comme les Belges parlent flamand *en* français. Ils ont un n'est-ce pas? qu'ils mettent à toute sauce. Les femmes disent n'est-ce pas? avec beaucoup de grâce.»

Gand ne cessera de hanter Victor Hugo... A son propos, il nous explique comment on doit visiter une ville: «J'ai pris le temps de visiter Saint-Bavon et, bien entendu, je

Victor Hugo,
Hôtel de Ville de Malines,
19 août 1837.
M.V.H. D. 0810. Cl. Ladet.

suis monté sur la tour.» Pour Hugo, il y a deux façons de voir une ville qui se complètent l'une par l'autre; en détail d'abord, rue à rue et maison à maison; en masse ensuite, du haut des clochers. «De cette manière, on a dans l'esprit la face et le profil de la ville.»

Soudain, il s'avise qu'à la longue, tant de dissertations archéologiques pourraient lasser l'attention de sa lectrice: Adèle… Alors, pour la dérider, Hugo, le picaresque et l'ami de Don César de Bazan, lance joyeusement un pétard: «Voici qui te fera rire pourtant. Tout à l'heure, en sortant de Gand, entre Gand et Audenarde, j'ai vu dans un village une enseigne d'auberge où était peinte la figure d'un homme coiffé à la Titus, avec de gros favoris, des épaulettes d'or, un uniforme bleu à revers blancs, et la croix de Léopold au cou. Au bas il y avait cette inscription: Louis XIV, roi de France.»

Un vrai Daumier. Il s'agit évidemment de Louis-Philippe, roi des Français.

Hugo a bien du mal à quitter Gand, où il reviendra bien des fois. Outre Bruxelles, Anvers, Bruges et Gand, n'a-t-il pas classé, lui-même, parmi les cités belges de premier ordre, Malines, Louvain, Tournai et Ypres? Ypres qui, depuis deux mortelles agressions, n'est plus, hélas! qu'une ville fantôme. Ypres est la ville où notre grand lyrique avait pensé à s'établir.

A Gand, Hugo a fait un croquis du gros canon du XVe siècle. Il dessinera bien d'autres canons, telle la bombarde, conservée à la Maison de Victor Hugo, place des Vosges, et qui a un air étonnamment vivant et agressif.

Mais il se plaît davantage parmi les œuvres d'art, et notamment à Saint-Bavon, où il rend hommage à Van Eyck.

Après cela, un éloge imprévu de la poussière. Il est clair que, s'il vivait encore, Hugo n'apprécierait guère les nettoyages d'André Malraux.

Combien Victor Hugo peut s'intéresser aux monuments de la Belgique, on s'en rend compte dans les lignes écrites à M. de Luesemans, et reproduites plus loin. Ces lignes constituent une révélation, puisque aussi bien cette lettre si importante ne figure pas dans l'édition nationale des œuvres de Victor Hugo, d'ailleurs si mal présentée et si fautive.

Que de chefs-d'œuvre hugoliens naquirent en Belgique! *Les Châtiments* qui l'obligèrent à gagner l'archipel anglo-normand, *Les Misérables*, qu'il achève, le 20 juin 1861, à Waterloo. «C'est sur place qu'il décrit la bataille... De son pas large et vigoureux, il arpente la plaine. Il interroge les paysans, parmi lesquels quelques témoins oculaires. Il finit par connaître chaque ferme célèbre, chaque arbre, les moindres accidents du terrain. La bataille se recrée, se déroule sous ses yeux; les ombres des généraux revivent; il assiste à l'arrivée de Blücher, à la défaite. Et tel Homère, il conte l'histoire magnifiée par son imagination.»

Arrêtons-nous à Paris, place des Vosges, dans la Maison de Victor Hugo, qu'anime avec tant de piété son éminente conservatrice, Martine Ecalle. Parmi de nombreux dessins exécutés en Belgique par le grand poète, recueillons-nous devant les vitrines consacrées aux *Misérables* et notamment à Waterloo. Nous y trouverons des fragments de boulets, des balles, des biscaïens, mêlés à des fleurs tricolores, des bleuets, des marguerites, des coquelicots, cueillis par Olympio et Juliette Drouet dans leur pèlerinage à Waterloo.

Ainsi, le sol ensanglanté de la Belgique, notre amie de toujours, est encore vivant dans la demeure du plus grand Génie français.

Raymond ESCHOLIER

**Victor Hugo,
Lion de Waterloo,**
crayon, 19 mai 1861 midi.
*B.N. Ms. n.a.f. 13.452, fol. 53.
Cl. B.N.*

Introduction

LE TOURISTE

Si nous avions à réunir ses plus belles pages de prose, ses voyages nous en fourniraient probablement une bonne partie.

André BELLESSORT

«Je suis tout ébloui de Bruxelles» sera la première phrase de la première lettre que Victor Hugo adresse à sa femme en arrivant en Belgique.

Le 16 août 1837, Hugo séjourne pour la première fois en Belgique. Il a trente-cinq ans; il est accompagné de Juliette Drouet, et il compte visiter les principales villes d'art pendant une quinzaine de jours. S'il ne se préoccupe pas d'un nouveau livre, il écrit, en revanche, presque chaque jour à sa femme — dix lettres en dix-sept jours. Peut-être songe-t-il déjà à publier ces lettres un jour, car elles sont écrites avec un soin tout particulier. Sans doute, est-elle empreinte de poésie cette correspondance, mais elle recèle surtout de la critique d'art. Avec minutie, il décrit les monuments, les tableaux, les paysages. A ces descriptions souvent lyriques, il ajoute des faits pittoresques, des anecdotes amusantes ainsi que des souvenirs d'histoire.

Si, dans sa longue vie, il a peu voyagé, chaque fois qu'il se déplace, c'est dans l'enthousiasme, avec passion, sans craindre la fatigue ou l'inconfort des diligences. Il ne redoute pas de parcourir, à pied, de longues distances — il le raconte lui-même —, allant notamment de Furnes à Dunkerque, soit 28 km en une seule étape. Tout l'intéresse, le passionne. Tantôt il découvre le chemin de fer belge — le premier — et il en fait une description fantastique. «La rapidité est inouïe», écrit-il, alors que le train roule à 30 kilomètres à l'heure! Tantôt il admire les carillons et décrit les clochers de Mons, de Malines, de Bruges…

Il aime les comparaisons pittoresques. Ainsi, parlant des clochers de Mons: «Figure-toi une énorme cafetière flanquée au-dessous du ventre de quatre théières moins grosses.» Plus loin: «Le clocher de l'église de Dinant est un immense pot à l'eau.» Il a une prédilection pour les tours, qu'il ne peut s'empêcher de gravir. Il escalade la Collégiale de Bruxelles pour mieux admirer la ville, Saint-Rombaut à Malines pour compter les marches, la cathédrale d'Anvers pour contempler l'Escaut, Saint-Bavon à Gand pour découvrir le beffroi.

Victor Hugo,
Bouillon, souvenir de Bouillon,
le château fort,
mine de plomb, 30 août 1862.
M.V.H. 22. Cl. M.V.H.

Les œuvres d'art en Belgique le subjuguent. «Je suis épuisé d'admiration» dit-il à propos des Rubens à Anvers. «Je suis resté longtemps comme agenouillé devant ces chefs-d'œuvre» écrit-il à propos de la *Vierge et l'enfant* de Michel-Ange à Bruges.
En vrai romantique, la nature l'étreint: il décrit lyriquement un orage à Ostende, les dunes du littoral, la vallée de la Meuse et la vallée de la Vesdre.
En 1840, avec Juliette, il passe cinq jours en Belgique, allant de Givet jusqu'en Allemagne par Dinant, Namur, Huy, Liège, la Vesdre et Verviers. C'est au cours de ce deuxième voyage en Belgique qu'il décrit toutes les villes wallonnes, mais il remanie son texte en 1841 pour sa publication.
Cette fois, c'est particulièrement le pittoresque qui le retient: «Les chevaux et le conducteur se sont arrêtés avec une unanimité touchante devant un cabaret.»
Ou encore: «J'ai remarqué un petit garçon de six ans qui fumait magistralement sa pipe.» Et plus tard, il notera: «Revu en sortant de Verviers, le marmot de cinq ans *(sic)* fumant une grande pipe, que j'avais constaté il y a vingt-deux ans!»
Son troisième séjour se situe probablement en septembre 1850, mais le seul témoignage que nous ayons est le dessin de Malines qui porte: «Fait le 29 septembre 1850.»
Les prochains séjours en Belgique se situeront pendant son exil qui durera vingt ans, soit du 11 décembre 1851 au 5 septembre 1871. Il vivra surtout à Guernesey, mais chaque année, à partir de 1861, il fera un séjour en Belgique. En 1861, il y revient en touriste. Puis, en 1862, 1863 et 1864, toujours en compagnie de Juliette Drouet, il visite les Ardennes, où il retourne chaque fois à Bouillon et à Orval.
Cette fois, ses carnets intimes nous éclairent. Il ne s'agit pas d'un journal intime,

James Ensor,
Ostende,
boulevard Van Iseghem,1889.
Collection du Crédit Communal.

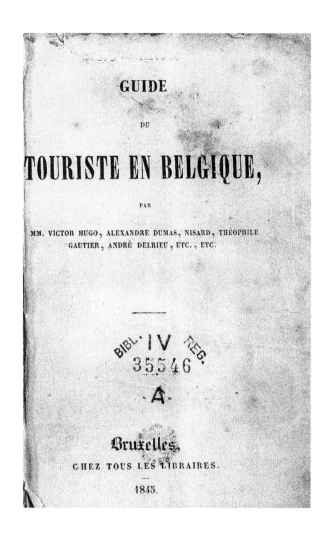

«Guide du touriste en
Belgique,
par MM. Victor Hugo,
Alexandre Dumas, Nisard,
Théophile Gautier, André
Delrieu, etc., etc.»
Bruxelles, 1845.

mais seulement de brèves notes qui doivent lui laisser un souvenir. Il ne néglige
jamais d'inscrire les dépenses, même les plus minimes. Il retient les hommages
qu'on lui rend, malgré son souci d'incognito.
En 1864, il revient pendant quinze jours en Belgique, et se souvient des villes qu'il
connut: Louvain, Courtrai, Tournai, Belœil. Après 1864, il ne décrira plus les lieux
qu'il visitera, dont les seuls témoignages se trouveront dans quelques lettres.
En 1865, il parcourra les Ardennes pendant trois semaines et, durant l'été 1866,
passera deux mois à Bruxelles.
De juillet à septembre 1867, il revient en Belgique, avec sa femme cette fois, et
séjourne pendant deux semaines à Spa. En 1868, 1869, 1870 et 1871, c'est la
présence devenue traditionnelle en Belgique pendant l'été.
Ainsi, de 1837 à 1871, Victor Hugo sera venu au moins quinze fois en Belgique;
il décrit plus de vingt-cinq localités dont toutes les villes d'art. Il participe également
à la publication en 1845 d'un *Guide du Touriste en Belgique* en collaboration avec
Alexandre Dumas et Théophile Gautier, notamment.
Il est certain que les lettres de Victor Hugo constituent encore aujourd'hui un
véritable guide pour le touriste cultivé. Grâce à lui, il peut acquérir une plus grande
curiosité, une acuité du regard, mais aussi un sens de l'humour, ou de l'insolite,
qui surgit à tout moment.

**Victor Hugo, autoportrait offert
en juin 1843 à Juliette Drouet.**
B.N.

LE DESSINATEUR

*S'il n'était pas poète, Victor Hugo serait un peintre de premier ordre. Il excelle à mêler
dans ces fantaisies sombres et farouches, les effets du clair-obscur de Goya à la terreur
architectonique de Piranèse.*

Théophile GAUTIER

On vient seulement de découvrir que Victor Hugo réalisa plus de quatre mille
dessins. Même sans sa gloire littéraire, son œuvre graphique aurait sans doute suffi
à le rendre célèbre. Gaëtan Picon l'apparente à Rembrandt et Goya; plus près de
nous, à Manet, Matisse, Picasso, voire à Max Ernst ou Paul Klee.
Mais que pense Victor Hugo lui-même de ses dessins?
Il nous l'apprend dans une lettre à l'éditeur Castel: «Le hasard a fait tomber sous
vos yeux quelques espèces d'essais de dessins, faits par moi, à des heures de rêverie
presque inconsciente, avec ce qui restait d'encre dans ma plume, sur des marges
ou des couvertures de manuscrits. Je crains fort que ces traits de plume
quelconques, jetés plus ou moins maladroitement sur le papier, par un bonhomme
qui a tout autre chose à faire, ne cessent d'être des dessins au moment qu'ils auront
la prétention d'en être.» Cette modestie soudaine peut surprendre chez Victor
Hugo. Cependant, il confirme ce sentiment dans une lettre à Charles Baudelaire:
«Je suis tout heureux et très fier de ce que vous voulez bien penser des choses que
j'appelle mes dessins à la plume. J'ai fini par y mêler du crayon, du fusain, de la
sépia, du charbon, de la suie, et toutes sortes de mixtures bizarres qui arrivent à
rendre à peu près ce que j'ai dans l'œil et surtout dans l'esprit. Cela m'amuse entre
deux strophes.» Il nous révèle donc sa technique du noir et blanc, technique
singulièrement audacieuse à l'époque; ce qui fera dire à André Suarès: «Maître du
blanc et du noir, graveur qui sonne puissamment de la trompette, mais qui sauve
du bruit par le génie et le rythme.»
On peut considérer Victor Hugo comme le précurseur du surréalisme.
Si l'on hésitait quelque peu, André Breton viendrait le confirmer. D'ailleurs en 1961,
une exposition au Palais Granvelle, à Besançon, faisait figurer Victor Hugo parmi les
surréalistes.
En Belgique, Victor Hugo a réalisé de très nombreux dessins dont nous publions un
grand nombre dans cet ouvrage. On peut admirer certains originaux à la Maison
Victor Hugo, place des Vosges à Paris; d'autres, plus difficilement, à la Bibliothèque
nationale de France; enfin, certains dessins, dans des collections particulières à
Bruxelles. Mais que dessine-t-il en Belgique?
Bien souvent, des choses sur lesquelles il se tait. Ainsi, les dessins suppléent-ils aux
textes.
Henri Guillemin, qui a fouillé L'œuvre hugolienne, note: «C'est un dessinateur plein
de talent, de très grand talent même, capable aussi bien des «crayons» les plus
déliés (ses carnets sont pleins d'admirables croquis de monuments, de paysages)
que de compositions où la suie se mêle à l'encre, ténébreuses, allusives, et trouées
d'éclairs.»

L'ÉCRIVAIN

Je ne me souviens pas d'un temps où je n'ai pas admiré Victor Hugo; toute ma vie, j'ai découvert de nouveaux aspects de son génie.

André MAUROIS

Les lettres et documents publiés dans cet ouvrage concernent plus particulièrement le touriste Hugo. En dehors de ceux-ci, à peine arrivé à Bruxelles, en proscrit, en décembre 1851, il écrira *L'Histoire d'un crime*. A peu près en même temps, *Les Châtiments*, parus à Bruxelles en 1853. Bien que ce réquisitoire soit interdit, il circule un peu partout sous le manteau. L'énorme succès incite des éditeurs pirates à des contrefaçons. Alors que précédemment elles irritaient Hugo, cette fois il s'en réjouit, car il n'ignorait pas que Napoléon III était ulcéré par ces pamphlets. *Napoléon le Petit* fut également rédigé à Bruxelles en un mois. Cette œuvre parut à Londres, car personne en Belgique n'osa acheter le manuscrit. Néanmoins, c'est à Bruxelles qu'il fut imprimé chez Labroue et Cie, rue de la Fourche.
Doué d'une capacité de travail extraordinaire, Hugo remplissait 70 à 100 pages dans la matinée. Cette régularité dans le travail explique l'énorme production que nous lui connaissons.
Napoléon le Petit parut le 4 août, alors que Victor Hugo venait de quitter la Belgique trois jours plus tôt. Hugo ne fut donc pas expulsé de Belgique, mais la quitta de son plein gré au moment où *Napoléon le Petit* lui aurait causé des ennuis avec le gouvernement belge, envers qui il s'était engagé à ne pas faire de politique.
Hugo reprend la plume en mai 1861, à Waterloo, où il s'installe à l'Hôtel des Colonnes, démoli en 1963, pour terminer les chapitres des *Misérables*.
En compagnie de Juliette, il enquête sur place auprès des paysans, parcourt les champs de bataille pour donner plus de vérité à son récit. Selon son rythme habituel, il écrit le matin, mène son enquête personnelle l'après-midi, autour du lion de Waterloo. Ce lion le tourmente, l'obsède. Il le dessine, de sa chambre d'hôtel.
Et le 30 juin 1861, il note: «J'ai fini *Les Misérables* sur le champ de bataille de Waterloo et dans le mois de Waterloo, aujourd'hui 30 juin 1861 à 8 heures et demie du matin jour de la kermesse de Mont-Saint-Jean.»
Le 3 avril 1862, *Les Misérables* paraissent à Bruxelles chez Lacroix et Verboeckhoven, en même temps qu'à Paris. Immédiatement le succès est extraordinaire. Une quinzaine de jours après la première édition, on trouve déjà une contrefaçon. Le 16 septembre 1862, l'éditeur Lacroix offre un mémorable banquet en l'honneur de Victor Hugo, pour célébrer le prodigieux succès des *Misérables*[1].
Il n'y eut pas moins de douze discours, dont deux de Victor Hugo. A cette occasion, il fit une apologie de la liberté de la presse qui demeure un morceau d'anthologie. Il exige des éditeurs belges 300.000 francs-or (en 1861!), mais eux-mêmes feront 517.000 francs-or de bénéfice net!
On raconte que, pour lancer *Les Misérables*, Hugo fit annoncer dans la presse un retard de parution, parce que les typographes, bouleversés par le manuscrit, pleuraient tout le temps!

1. *Les éditeurs belges de Victor Hugo et le banquet des* Misérables, catalogue d'exposition, Bruxelles, Crédit Communal - Université libre de Bruxelles, 1986.

En Belgique paraîtront encore *William Shakespeare* en 1864, *Les Chansons des rues et des bois* en 1865, *Les Travailleurs de la mer* en 1866, et enfin *L'Homme qui rit* en 1869, ouvrage commencé à Bruxelles trois ans plus tôt.

C'est chez les éditeurs belges Tarride, Lebègue, de Méline Cans et surtout Lacroix et Verboeckhoven, que sortiront les éditions originales. Ce sont les seules dont les épreuves ont été corrigées par Hugo lui-même.

«Bruxelles, dira Paul Claudel, a été à plusieurs reprises accueillante au grand poète et aux siens; cette terre a été, au moment peut-être le plus élevé de sa carrière, nourricière de son inspiration. Victor Hugo est un inspiré, on peut même dire qu'il fut «l'inspiré» par excellence.»

L'HOMME

«**Impression de voyages d'un grand poète**», détail, Victor Hugo par Daumier. *M.V.H. 607. Cl. M.V.H.*

Ce qui frappait d'abord dans Victor Hugo, c'était le front vraiment monumental qui couronnait comme un fronton de marbre blanc son visage d'une placidité sérieuse. Il était vraiment d'une beauté et d'une ampleur surhumaines; les plus vastes pensées pouvaient s'y écrire. Le signe de la puissance y était.

Théophile GAUTIER

Si les premiers séjours de Victor Hugo en Belgique en 1837 et 1840 étaient consacrés au tourisme, ce que l'on sait moins, c'est qu'ils furent aussi des voyages d'amoureux, puisque chaque fois Juliette Drouet l'accompagna. Rencontrée en 1833, elle lui restera attachée jusqu'à la mort en 1883, soit pendant plus de cinquante ans. A son propos, Paul Claudel — qui ne portait pas toujours Hugo dans son cœur — dira: «Rien n'est davantage au crédit de Victor Hugo que la tendresse imperturbable à lui vouée par cette créature admirable que fut Juliette Drouet.»

Le 11 décembre 1851, Hugo, prenant le chemin de l'exil, se rend à Bruxelles sous le nom de Lanvin. Dès le 17 décembre, Juliette vient le rejoindre et loge Passage des Princes, non loin de Victor Hugo qui lui, habitait «au milieu des pignons flamands» de la Grand-Place. A peine arrivée, Juliette lui écrit: «C'est donc bien vrai que tu es sauvé, mon pauvre adoré, et que je n'ai plus rien à craindre pour ta vie et pour ta liberté!... C'est donc bien vrai que je suis une femme heureuse et que j'ai le droit de vivre au plein soleil de l'amour et du dévouement.» Toute l'adoration de Juliette se trouve dans ces quelques lignes. Victor Hugo poursuivra longtemps ce duo d'amour et, à chaque occasion, il lui adressa de tendres billets. Pour sa fête, il lui écrit: «Cher doux ange, c'est ta fête, le soleil se lève, un beau soleil de mai, digne du printemps et de notre âme qui ne vieillit pas; je regarde dans le ciel qui brille et dans mon cœur qui t'aime et, puisque je ne puis prendre le soleil dans le ciel, je prends mon amour dans mon cœur, je te l'envoie. Je t'envoie tout ce qui t'est dû, tout ce qui t'appartient, tout ce qui est à toi, ma pensée, mes souvenirs, mes espérances, ma volonté, ma passion, mon esprit, ma tristesse et ma joie. Je t'envoie nos vingt années d'amour dans un baiser.» Non loin de son amant, Juliette passe ses journées à recopier soigneusement tous les manuscrits de Victor Hugo.

Quand sa femme s'était détachée de lui pour Sainte-Beuve, il en avait éprouvé une grande amertume qu'il confiait dans *Tas de pierres*: «Malheur à qui aime, sans être

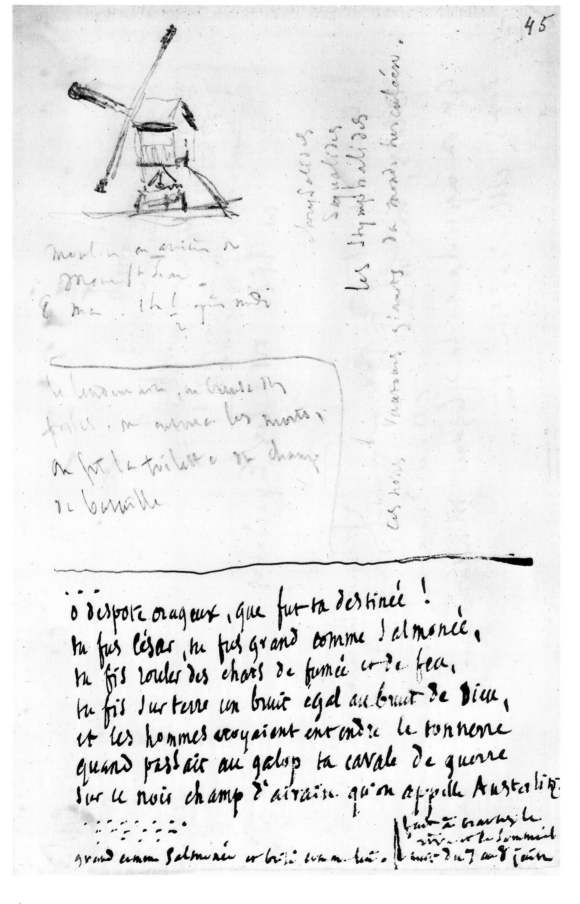

Victor Hugo,
**le moulin de Waterloo,
moulin en arrière du
Mont-Saint-Jean,**
mine de plomb,
8 mai 1861.
B.N. A62/694.

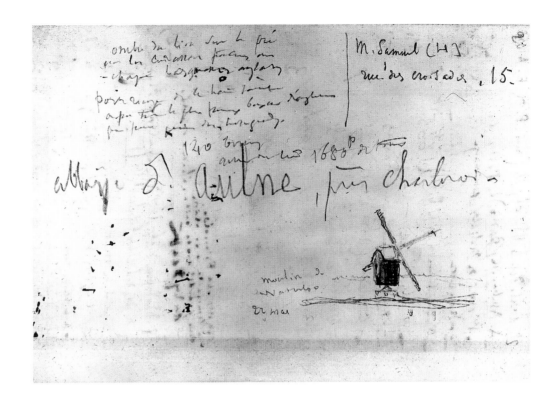

Victor Hugo,
le moulin de Waterloo,
mine de plomb,
22 mai 1861.
B.N. B66/264.

aimé! Ah! l'effrayante chose! Voyez cette femme. C'est un être charmant.
Elle est douce, blanche et candide; elle est la joie et l'amour du toit. Mais elle ne
vous aime pas. Elle ne vous hait pas non plus. Elle ne vous aime pas, voilà tout.
Sondez si vous l'osez, la profondeur d'un tel désespoir? Regardez-la; elle ne vous
comprend point. Parlez-lui; elle ne vous entend pas. Toutes vos pensées d'amour
viennent se poser sur elle; elle les laisse repartir comme elles sont venues, sans les
chasser, sans les retenir.»
A partir de 1861, à l'occasion de ses voyages annuels en Belgique, on sait par ses
carnets intimes qu'il rendra souvent visite à des prostituées qu'il appelle:
Constance, Simon (pour Simone), Eva, Laurette, Henri (pour Henriette), Amandia,
Mathildacheaux (pour Mathilde), Rosalie, Berthel (pour Berthe), Justin (pour
Justine), Horten (pour Hortense), Hann (pour Anne). Ordonné et secret,
il masculinise les noms de ses partenaires; ainsi: «Secours à Justin, 5 francs».
A part ces débordements, ses amitiés à Bruxelles furent nombreuses et de qualité.
Le ministre Rogier le reçoit régulièrement à sa table. M. et Mme Berardi, Félix
Delhasse, le poète André Van Hasselt, le chimiste Raspail, Alexandre Dumas lui
rendent visite. Il rencontre aussi Paul Verlaine, Charles Baudelaire et François
Coppée. Et, de fait, «plus on le fréquente, plus on l'aime» disait Flaubert.
Ses deux fils, Charles et François-Victor, las de la solitude à Guernesey, viennent
s'établir, 4 place des Barricades, à Bruxelles, en février 1864. Adèle Hugo, sa femme,
y viendra rejoindre ses enfants. En octobre 1865, Charles se marie à Saint-Josse-Ten-
Noode.
Le 23 août 1868, à Bruxelles, Adèle succombe à une congestion cérébrale.
Comme elle voulait être enterrée à Villequier, près de sa fille Léopoldine, Victor
Hugo accompagne le corps jusqu'à la frontière. Il perd brutalement, après
quarante-six ans d'union souvent orageuse, celle qui à vingt ans lui révéla l'amour.

Victor Hugo à Bruxelles, 4 place des Barricades

Quand Louis Bonaparte fit son coup d'Etat, le 2 décembre 1851, Victor Hugo dut fuir Paris et commença un long exil de vingt ans par un séjour à Bruxelles où il occupa deux logements à la Grand-Place entre le 5 janvier et le 31 juillet 1852. Mais on ignore souvent que le poète vécut bien plus de temps (un total d'environ 400 jours) au n° 4 de la place des Barricades, où les bâtiments dessinent un grand cercle dont la statue d'André Vésale, dans son parterre, occupe le centre. Un peu en retrait du boulevard de Bischoffsheim qui délimite au nord-est la «ville en forme de cœur», on y goûte une quiétude presque provinciale.

Tant d'événements dans cette demeure!

Son épouse et ses fils se sont lassés de leur long séjour à Guernesey. Le 31 octobre 1865, Victor Hugo loua la maison 4 place des Barricades au nom de son fils Charles, marié depuis deux semaines. Le 21 juillet 1866, l'écrivain, venu y rejoindre les siens pour deux mois, y commença son roman *L'Homme qui rit*.
Il allait multiplier les déplacements entre Guernesey et Bruxelles pendant ses années d'exil.
Au 4 place des Barricades naquit, le 31 mars 1867, le premier enfant de Charles. Ce petit Georges, baptisé à Sainte-Gudule le 25 juillet, mourut le 14 avril 1868. Mais le 16 août vint au monde le second enfant de Charles, prénommé également Georges. Le 29 septembre 1869, une fille, Jeanne, naquit chez Charles. De retour à Bruxelles en août 1870, l'écrivain attendit la chute de Napoléon III. Le 2 septembre, ce dernier connut la défaite de Sedan. Le 5, Hugo revint à Paris. Après la mort de son fils Charles, le 13 mars 1871, Hugo quitta Paris

le 21 et regagna la place des Barricades le 22. Le 27, il fut désigné comme subrogé tuteur de ses deux petits-enfants.

Les coups de pierres et l'expulsion

Le dernier événement de ses séjours place des Barricades fit grand bruit. Le 25 mai 1871, quand la répression triompha de la Commune à Paris, le gouvernement belge voulut fermer sa frontière aux communards fugitifs. Mais une lettre de Hugo parut dans *L'Indépendance belge*: «Cet asile que le gouvernement belge refuse aux vaincus, je l'offre. Où? En Belgique [...] J'offre l'asile à Bruxelles. J'offre l'asile place des Barricades, n° 4.»
Dans la nuit du 27 au 28, de jeunes réactionnaires de bonne famille vinrent insulter le poète et brisèrent plusieurs vitres à coups de pierres. Un pavé manqua de peu la petite Jeanne. «L'incident belge» tient une grande place, en vers et en prose, dans plusieurs œuvres de Hugo. «J'étais sans armes... J'ai vu de près cette vilaine mort, l'assassinat. L'assaut a eu trois reprises furieuses. Puis il y avait des silences. Dans les intervalles, j'entendais au fond de la place le chant du rossignol.» La lettre de Hugo indigna le Sénat qui lui adressa le 30 mai un ordre d'expulsion: «Léopold II, roi des Belges [...] avons arrêté et arrêtons: Article unique. Il est enjoint au sieur Victor Hugo, homme de lettres [...] de quitter immédiatement le royaume, avec défense d'y rentrer à l'avenir.»
Hugo et les siens partirent pour Luxembourg. Mais le gouvernement belge se garda ensuite d'interdire l'accès de son territoire aux vaincus de la Commune, et le poète conclut dans une lettre à

Bruxelles   Place des Barricades

Collection Dexia Banque.

L'Indépendance belge: «Le ministère belge [...] m'a expulsé, mais il m'a obéi.» Plus tard, il ne fit plus que des séjours de courte durée en Belgique.

Deux visiteurs célèbres: Verlaine et Baudelaire

Dans son livre *Victor Hugo en Belgique*, José Camby a décrit la demeure de la place des Barricades: «Hugo recevait et mangeait au rez-de-chaussée. Son cabinet de travail et sa chambre à coucher se trouvaient au premier étage. Nul ne pouvait y entrer, sauf ses plus intimes. Le mobilier en était très simple: quelques étagères, une table et surtout le haut pupitre sur lequel Hugo écrivait, debout. Les autres pièces de la maison étaient confortablement garnies de beaux meubles, de tentures, d'objets d'art.»
Parmi les nombreux visiteurs qui ont illustré cette maison, il faut évoquer Verlaine qui, à vingt-trois ans, fut reçu et même invité à dîner par Hugo. Mais ce sont les passages de Baudelaire qui retiennent davantage l'attention, en raison notamment des pages consacrées par Bernard-Henri Lévy, dans *Les Derniers Jours de Charles Baudelaire*, au culte quasi idolâtrique rendu à Victor Hugo absent sous la présidence de son épouse Adèle. S'il est vrai que l'auteur des *Fleurs du Mal* n'a pas dissimulé l'agacement et le malaise que lui donnaient Hugo et ses écrits, on doit reconnaître cependant qu'il rendit hommage plus tard à la bonté de l'épouse du poète: «Elle a exigé que son médecin vînt me voir» (lettre du 16 février 1866). Un mois plus tard, une crise violente marquait le début de la paralysie de Baudelaire.

Max VILAIN

A Bruxelles encore, il verra naître et mourir son premier petit-fils Georges, tandis que son second petit-fils, Georges encore, et sa petite-fille Jeanne, y verront le jour. Laissons à Claude Roy cette conclusion paradoxale: «Il est surprenant qu'aucun érudit sagace ne se soit encore avisé de ce qui pourtant crève les yeux: Victor Hugo ne peut pas être l'auteur de l'œuvre de Victor Hugo. On ne fera croire à personne de sensé qu'un homme ordinaire ait pu être tout ce qu'a été Victor Hugo, c'est-à-dire le plus grand poète de son temps et un de ses plus grands dessinateurs, un homme politique et un Don Juan, un philosophe et un homme d'affaires, l'auteur dramatique le plus important et le romancier le plus populaire de ceux qui n'étaient pas des feuilletonistes. L'hypothèse la plus probable est en effet que le nommé Victor Hugo est un imposteur qui a couvert de sa falote identité un atelier littéraire et graphique composé de mystificateurs de génie, qu'il s'est contenté de signer les dessins exécutés par Delacroix, Turner et Corot (les jours où celui-ci mâchait en cachette du haschich), qu'il a endossé les poèmes qu'un collectif comprenant Lamartine, William Blake, Vigny, Byron et Baudelaire a rédigés au cours de soirées inspirées, qu'il a donné sa carte de visite à une quinzaine de viveurs de l'époque qui se sont fait passer pour lui... Une critique interne un peu serrée des textes parus sous sa signature et des actes accomplis par lui montre qu'il a été manipulé par une trentaine d'hommes de premier ordre, qui en furent les souffleurs, les régisseurs et les auteurs.» Et Claude Roy de conclure: «Décidément Hugo existe, et son génie. Dieu merci, ou plutôt, l'ange Liberté, merci.»

Pierre ARTY
Directeur de l'Association pour la Diffusion Artistique et Culturelle
du Palais des Beaux-Arts, à Bruxelles.

Victor Hugo revint en cette maison en...1995, à l'occasion d'une exposition de ses dessins organisée par le peintre Louis d'Hauterives. L'œuvre dessinée de Victor Hugo, consistant principalement en petits formats, présente des paysages, profils, taches, dessins fantasques, exécutés au lavis, à l'encre brune, au fusain, à la mine de graphite, est moins connue que son œuvre littéraire, mais elle est tout aussi géniale. Elle est, cette œuvre, d'une modernité, d'une inventivité plastique qui rendent perplexe.

Plus puissant que Redon, bien avant Redon, inventeur du tachisme, aussi libre que Turner mais avec la vision qui allait animer les expressionnistes, Victor Hugo peintre reste victime de la notoriété de Victor Hugo écrivain. En avait-il conscience? Dans son célèbre testament de 1881, il écrivait: «Je donne [...] tout ce qui sera trouvé écrit ou dessiné par moi à la Bibliothèque nationale de Paris qui sera un jour la Bibliothèque des Etats-Unis d'Europe.» Dans sa peinture comme dans ses prémonitions, Victor Hugo s'était littéralement projeté hors de son siècle.

Lucien DE MEYER

Chronologie des séjours
de Victor Hugo en Belgique

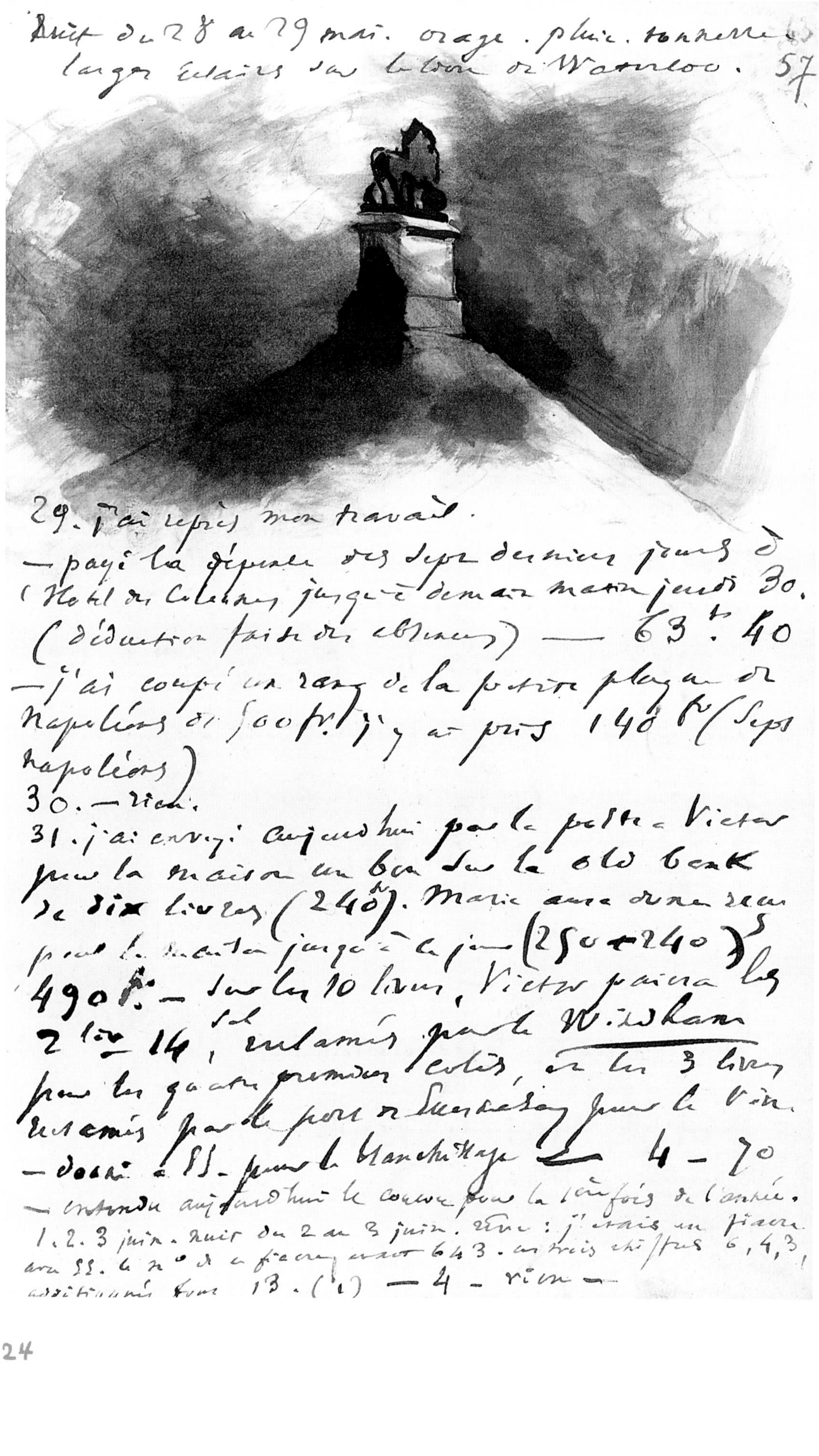

**Victor Hugo,
orage, pluie, tonnerre,
larges éclairs sur le
lion de Waterloo,**
plume,
28-29 mai 1861.
*B.N. Ms. n.a.f. 13.452,
fol. 57. Cl. B.N.*

Né à Besançon le 26 février 1802 — Mort à Paris le 22 mai 1885.

1837

Arrivée à Bruxelles avec Juliette Drouet, le 16 août, après une halte à Mons.
Séjour touristique jusqu'au 1er septembre.
Visite de Bruxelles, Mons, Louvain, Malines, Lierre, Anvers, Gand, Audenarde,
Tournai, Ypres, Ostende, Furnes, Bruges. En tout, dix-sept jours en Belgique.

1840

Nouveau séjour touristique du 1er au 5 août pendant lequel il visite les bords de la
Meuse, Dinant, Namur, Huy, Liège, la Vesdre et Verviers. Cinq jours en Belgique.

1850

Probablement en Belgique en septembre et notamment à Malines, le 29, comme
en témoigne un dessin.

1851 et 1852

Le 11 décembre dans la soirée, arrivée à Bruxelles, après le coup d'Etat du
2 décembre. Durant ce séjour, il rédigera neuf poèmes des *Châtiments, Histoire d'un
crime* et *Napoléon le Petit.* Ce dernier ouvrage fut imprimé à Bruxelles.
Séjour de près de huit mois.

1853

Publication à Bruxelles des *Châtiments,* bien que le volume indique comme lieu
d'édition «Genève et New York» afin d'éviter des poursuites.

1861

Le 25 mars, retour en Belgique, venant de Guernesey.
Il termine le 30 juin à Mont-Saint-Jean, près de Waterloo, *Les Misérables.*
Le 5 août, à Termonde, le 23 août à Ath et le 24 à Thuin. Nombreux dessins.
Le 4 octobre, il signe son contrat concernant *Les Misérables* avec l'éditeur Lacroix.

1862

Publication à Bruxelles des *Misérables,* en avril. Le 20 juillet, il est à Bruxelles et
négocie la vente de ses mémoires à l'éditeur Lacroix. En août, voyage dans les
Ardennes. Le 19 août, à Verviers, le 20 à Bouillon, le 4 septembre à Villers-la-Ville.
Le 16 septembre, il assiste au banquet offert par son éditeur pour fêter le succès des
Misérables.

1863

Le 18 août, il revient à Bruxelles, passe à Florenville, Bouillon et Orval.
Ensuite, il fait une excursion en Allemagne.
Le 4 octobre, il est à nouveau à Bruxelles.

1864

Ses deux fils veulent échapper à la solitude de Guernesey et viennent s'installer à
Bruxelles. Entre le 15 août et le 26 octobre, il voyage en Belgique et notamment,

le 21 août, il est à Bouillon, le 23 à Arlon, puis en Allemagne.
Le 28 septembre, visite de Waterloo en compagnie de Baudelaire. Du 30 septembre au 18 octobre, Liège, Tirlemont, Saint-Trond, Louvain, Léau, Malines, Termonde, Courtrai, Ypres, Furnes, Menin, Tournai, Antoing, Beloeil, Mons, Walcourt et Philippeville. Publication à Bruxelles de *William Shakespeare.*

Victor Hugo,
la tour de Saint-Rombaut de Malines,
encre, lavis, fusain et gouache,
29 septembre 1850.
Collection R. Lyna.

1865

Hugo quitte à nouveau Guernesey pour rejoindre Bruxelles, le 28 juin. Du 5 août au 25 septembre, voyage dans les Ardennes et en Rhénanie. Le 17 octobre, il assiste à Bruxelles au mariage de son fils Charles. Le 25 octobre, il publie *Chansons des rues et des bois.* Le 30, il retourne à Guernesey.

1866

Du 5 août au 11 septembre, séjour en Belgique et en Suisse. Le 29 septembre, naissance de sa petite-fille Jeanne à Bruxelles, où il séjourne du 1er octobre au 5 novembre. Publication à Bruxelles des *Travailleurs de la mer.*

Victor Hugo,
Abbaye de Villers-la-Ville,
plume et lavis,
8 septembre 1862.
M.V.H. 24. Cl. M.V.H.

Abbaye de Villers
8 7bre 1862

1867

Le 31 mars, naissance à Bruxelles de Georges Hugo, premier petit-fils de
Victor Hugo. A Bruxelles, le 19 juillet, puis à Chaudfontaine du 29 août au
11 septembre, pour la santé de sa femme.

1868

Le 14 avril, son petit-fils Georges meurt d'une méningite. Le 30 juillet, Victor Hugo
rejoint sa famille à Bruxelles. Le 16 août, naissance d'un second petit-fils, appelé
aussi Georges. Le 16 août, déjeuner en compagnie de Verlaine et François Coppée.
Le 23 août, il termine *L'Homme qui rit.*
Le 27 août, Adèle, sa femme, meurt à Bruxelles, frappée d'une attaque.
Le 9 octobre, il rentre à Guernesey.

1869

Arrivée le 20 juin à Bruxelles. Il publie à Bruxelles *L'Homme qui rit.*
Le 7 octobre, départ pour Guernesey.

1870

Du 17 août au 5 septembre, il est à Bruxelles.

1871

Le 22 mars, il rentre à Bruxelles pour s'occuper de ses petits-enfants Jeanne et
Georges qui viennent de perdre leur père.
Le 26 mai, il publie dans le journal *L'Indépendance belge* une lettre ouverte,
où il offre, chez lui, l'hospitalité aux communards vaincus.
Dans la nuit du 27 au 28 mai, des jeunes gens manifestent devant la maison
habitée par Victor Hugo, 4, place des Barricades, à cause de sa proclamation dans
L'Indépendance.
Le 30 mai, il reçoit un ordre d'expulsion, suite à sa lettre ouverte. Le 1er juin,
il part pour Luxembourg. Ces événements marquent un terme aux nombreux
séjours de Victor Hugo en Belgique.

**Victor Hugo,
Bouillon,**
crayon, 21 août 1863.
*B.N. Ms. n.a.f. 13.458,
fol. 23. Cl. B.N.*

En voyage: *1837*

**F. Gaillard,
Parc de
Bruxelles.**
*Collection du
Crédit
Communal.*

Année 1837

Bruxelles

Bruxelles, 17 août, 8 heures du soir.

Chère amie, je suis tout ébloui de Bruxelles, ou pour mieux dire, de deux choses que j'ai vues à Bruxelles: l'Hôtel de ville avec sa place, et Sainte-Gudule.

Les vitraux de Sainte-Gudule sont d'une façon presque inconnue en France, de vraies peintures, de vrais tableaux sur verre d'un style merveilleux, avec des figures comme Titien et des architectures comme Paul Véronèse[1].

La chaire en bois sculpté de Henry Verbruggen[2] qui est dans l'église date de 1600. C'est la création tout entière, c'est toute la philosophie, c'est toute la poésie, figurées par un arbre énorme qui porte dans ses rameaux une chaire, dans ses feuillages tout un monde d'oiseaux et d'animaux, à sa base Adam et Eve chassés par l'ange triste et suivis par la mort joyeuse et séparés par la queue du serpent, à son sommet la croix, la Vérité, l'enfant Jésus et sous le pied de l'enfant la tête du serpent écrasée. Tout ce poème est sculpté et ciselé à plein chêne de la manière la plus forte, la plus tendre et la plus spirituelle. L'ensemble est prodigieusement

Jean-Baptiste Van Moer, Bruxelles, l'ancienne brasserie des Récollets et le Vaelbeek.

A la demande du bourgmestre Jules Anspach, Van Moer peint quinze vues de quartiers que l'on était sur le point de démolir. Ce qui ajoute à leur valeur esthétique une importante valeur documentaire.

Hôtel de ville de Bruxelles.

rococo et prodigieusement beau. Que les fanatiques du *sévère* arrangent cela comme ils voudront, cela est. Cette chaire est dans l'art un de ces rares points d'intersection où le beau et le rococo se rencontrent. Watteau et Coypel[3] ont trouvé aussi quelquefois de ces points-là.

J'ai déjà vu à Mons une église belge, fort belle vraiment et du XIVᵉ siècle[4], Sainte-Waudru. L'intérieur de ces églises-là fait honte à nos cathédrales. C'est partout un luxe, un soin, un zèle, une propreté, un ameublement exquis des chapelles, un ajustement splendide des madones, qui indigne contre nos églises si sales, si nues et si mal tenues. Si ces braves Belges ne badigeonnaient pas aussi de temps en temps, on n'aurait qu'à admirer. Sainte-Waudru pourtant n'est pas barbouillée, mais Sainte-Gudule l'est[5].

Quand je suis entré dans Sainte-Gudule, il était trois heures. On célébrait l'office de la Vierge. Une madone, couverte de pierreries et vêtue d'une longue robe de dentelle d'Angleterre, étincelait sous un dais d'or, au milieu de la nef, à travers une lumineuse fumée d'encens qui se déchirait autour d'elle. Beaucoup de peuple priait immobile à genoux sur le pavé sombre, et au-dessus un large rayon de soleil faisait remuer l'ombre et la clarté sur plusieurs grandes statues d'une fière tournure adossées aux colonnes. Les fidèles semblaient de pierre, les statues semblaient vivre. Et puis un chant admirable, coupé de voix graves et de voix claires, tombait mystérieusement, avec le bruit de l'orgue, des plus hautes travées perdues dans la vapeur. Moi, pendant ce temps-là, j'avais l'œil vaguement fixé sur la chaire fourmillante de Verbruggen, chaire magique qui parle toujours. — Encadre ceci de vitraux, d'ogives, et de tombes de la Renaissance en marbre noir et blanc, et tu comprendras qu'il résultait de cet ensemble une sensation sublime.

L'Hôtel de ville de Bruxelles est un bijou comparable à la flèche de Chartres[6]; une éblouissante fantaisie de poète tombée de la tête d'un architecte. Et puis, la place qui l'entoure est une merveille. A part trois ou quatre maisons que de modernes cuistres ont fait dénaturer, il n'y a pas là une façade qui ne soit une date, un costume, une strophe, un chef-d'œuvre[7]. J'aurais voulu les dessiner toutes l'une après l'autre.

Je suis monté sur les clochers de Sainte-Gudule. C'était beau. Toute la ville sous mes pieds, les toits tailladés et volutés de Bruxelles à demi estompés par les fumées, le ciel (un ciel orageux) plein de nuages dorés et frisés par le haut, coupés ras comme marbre par le bas; au fond une grosse nuée lointaine d'où tombait la pluie comme du sable fin d'un sac qui se crève; le soleil jouant dans tout cela: la magnifique lanterne à jour du beffroi se détachant sombre sur les vapeurs blanches; et puis le bruit confus de la ville qui montait, et puis la verdure des belles collines de l'horizon, c'était vraiment beau. J'ai tout admiré comme un provincial de Paris que je suis, tout, jusqu'au maçon qui cognait sur une pierre et qui sifflait à côté de moi. Bruxelles m'a fait oublier Mons, et pourtant Mons vaudra peut-être que je t'en reparle, car c'est une ville charmante. Mais pour aujourd'hui, mon Adèle, tu dois en avoir assez de mes pierres et de mes églises, et je crois t'entendre me gronder gaiement de ma manie. Chère amie, ne t'en plains pas. Les églises me font penser à toi. Je sors de là vous aimant tous plus encore, s'il est possible.

Je t'embrasse ainsi que ton bon père. Dis à Didine et à Dédé, dis à Charlot et à Toto

Jean-Baptiste Van Moer, Bruxelles, bras de la Senne près de la rue dite Plattesteen.
Hôtel de ville de Bruxelles.

Eglise Sainte-Gudule.
BRUYLANT E. et VAN BEMMEL E.,
La Belgique illustrée: ses monuments, ses paysages, ses œuvres d'art, *Bruxelles, Bruylant - Christophe, 1900.*

de s'entr'embrasser en mon nom. Je bois de la bière comme un Flamand. La bière de Louvain a un arrière-goût douceâtre qui sent la souris crevée. C'est fort bien. — Je t'embrasse.

Mons - Louvain - Malines

Bruxelles, 18 août.

Je suis encore à Bruxelles, mon Adèle. En attendant la diligence, je te commence une lettre que je finirai à Louvain ou à Malines. Tu vois combien c'est un bonheur pour moi de me rapprocher de toi par la pensée en t'écrivant.

Je t'ai promis de te reparler de Mons. C'est en effet une ville fort curieuse. Pas un clocher gothique à Mons, car l'église chapitrale de Sainte-Waudru n'a qu'un petit clocheton d'ardoise insignifiant; en revanche, la silhouette de la ville est chargée de trois beffrois dans ce goût tourmenté et bizarre[8] qui résulte ici du choc du Nord et du Midi, de la Flandre et de l'Espagne[9].

La plus haute de ces trois tours[10], bâtie sur l'emplacement de l'ancien château, et, je pense, vers la fin du XVIIe siècle, a un toit vraiment étrange. Figure-toi une énorme cafetière flanquée au-dessous du ventre de quatre théières moins grosses. Ce serait laid si ce n'était grand. La grandeur sauve.

Autour de ce genre de clochers, imagine des places et des rues irrégulières, tortues, étroites souvent, bordées de hautes maisons de brique et de pierre à pignons taillés du XVe siècle et à façades contournées du XVIe, et tu auras une idée d'une ville de Flandre[11].

La place de l'Hôtel de ville à Mons est particulièrement jolie. L'Hôtel de ville a une belle devanture à ogives du XVe siècle, avec un assez curieux beffroi rococo, et de la place on aperçoit en outre les deux autres clochers.

Comme je devais partir à trois heures du matin, je ne me suis pas couché, pour voir cet ensemble au clair de lune. Rien de plus singulier et de plus charmant, sous un beau ciel clair et étoilé, que cette place si bien déchiquetée dans tous les sens par le goût capricieux du XVe siècle et par le génie extravagant du XVIIIe; rien de plus original que tous ces édifices chimériques vus à cette heure fantastique.

De temps en temps un carillon ravissant s'éveillait dans la grande tour (la tour des théières); ce carillon me faisait l'effet de chanter à cette ville de magots flamands[12] je ne sais quelle chanson chinoise; puis il se taisait, et l'heure sonnait gravement.

Alors, quand les dernières vibrations de l'heure avaient cessé, dans le silence qui revenait à peine, un bruit étrangement doux et mélancolique tombait du haut de la grande tour, c'était le son aérien et affaibli d'une trompe, deux soupirs seulement. Puis le repos de la ville recommençait pour une heure. Cette trompe, c'était la voix du guetteur de nuit.

Moi, j'étais là, seul éveillé avec cet homme, ma fenêtre ouverte devant moi, avec tout ce spectacle, c'est-à-dire tout ce rêve, dans les oreilles et dans les yeux. J'ai bien fait de ne pas dormir cette nuit-là, n'est-ce pas? Jamais le sommeil ne m'aurait donné un songe plus à ma fantaisie.

Eh bien! Ce rêve est fortifié. Mons est une citadelle; et une citadelle plus forte qu'aucune des nôtres. Il y a huit ou dix enceintes avec autant de fossés autour de Mons. En sortant de la ville on est rejeté, pendant plus d'un quart d'heure, de

Victor Hugo,
**Place de l'Hôtel de ville
de Mons,**
plume, 18 août 1837.
*B.N. Ms. n.a.f. 13.391 fol. 107 -
V. Cl. B.N.*

tout d'ailleurs étrange. figurez-vous une énorme théière flanquée au dessous de l'autre de quatre théières moins grosses. ce serait laid si ce n'était grand. la grandeur sauve.

autour de ce jeu de clochers imaginez des places en des rues irrégulières, tournées, étroites, sinueuses, bordées de hautes maisons de brique ou de pierre à pignons taillés du quinzième siècle ou du seizième, ou à façades couronnées de ... tu auras une idée d'une ville de Flandre. la place de l'Hôtel de Ville à ... est particulièrement jolie. l'Hôtel de Ville a une belle devanture du quinzième siècle avec un assez curieux beffroi rococo, et de la place on aperçoit encore les deux passerelles en ponts-levis, à travers les demi-lunes, les bastions et les contrescarpes. Ce sont les Anglais qui ont mis cette chemise à la ville pour le jour où nous aurions le caprice de nous en vêtir[13].

Cette Flandre est belle d'ailleurs[14]. De grandes prairies bien vertes, de frais enclos de houblon, des rivières étroites coulant à pleins bords; tantôt un herbage plein de vaches, tantôt un cabaret plein de buveurs. On voyage entre Paul Potter[15] et Teniers[16].

Quant à la propreté flamande, voici ce que c'est: toute la journée, toutes les habitantes, servantes et maîtresses, duègnes et jeunes filles, sont occupées à nettoyer les habitations. Or, à force de lessiver, de savonner, de fourbir, de brosser, de peigner, d'éponger, d'essuyer, de tripoliser, de curer et de récurer, il arrive que toute la crasse des choses lavées passe aux choses lavantes; d'où il suit que la Belgique est le pays du monde où les maisons sont les plus propres et les femmes les plus sales.

Ceci soit dit en exceptant, bien entendu, les belles dames, avec lesquelles je ne veux me faire d'affaires en aucun pays.

Du reste, cette espèce de propreté malpropre donne, quand on oublie les femmes, des résultats charmants. Ainsi, grâce aux plaques de cuivre luisantes comme l'or qui les garnissent ici, je viens de m'apercevoir, pour la première fois depuis que j'existe, que les colliers des chevaux de charrette ont la forme d'une lyre.

Mets des cordes à la place de la tête du cheval, et Viennet pourra se servir de cet instrument.

A propos des chevaux, il paraît qu'ils sont fort méchants en Flandre, ou les Flamands fort prudents; car on ne les ferre, dans tous les villages où j'ai passé, que dans un travail des plus solides, non en chêne, mais en granit. (Ils ont ici un granit bleu assez laid qu'ils mettent à toute sauce.) J'ai été contrarié de cette mode, moi qui aime tant à rencontrer en route le beau groupe compliqué du cheval et du maréchal-ferrant.

A quelques lieues de Mons, avant-hier, j'ai vu pour la première fois un chemin de fer. Cela passait sous la route. Deux chevaux, qui en remplaçaient ainsi trente, traînaient cinq gros wagons à quatre roues chargés de charbon de terre. C'est fort laid.

Lierre

Lier, 19 août, 9 heures du soir.

J'ai passé Louvain, j'ai passé Malines, je suis à Lier, et je continue ma lettre. Je pense avec bien de la joie que ton père est près de toi, mon Adèle, depuis hier et que ma Didine a son grand-papa en attendant le petit.

Je suis amplement dédommagé de toutes les sottes villes de la Flandre française. Louvain, qui est comme situé au fond d'une cuvette, est une charmante cité très complète. L'Hôtel de ville, qui est admirable, a la forme d'une châsse gigantesque. C'est un colossal bijou du XVe siècle. On le peint en jaune gris. L'Hôtel de ville de Mons est en gris bleu. Ils ont pour cette dernière couleur cet affreux granit bleu qui leur sert de prétexte. «Nous raccordons», disent-ils. — Ces pauvres Welches ont la rage de badigeonner.

Victor Hugo, château médiéval et maisons flamandes.
M.V.H. D. 0840. Cl. Trocaz.

La grande église à demi écroulée[17] de Louvain fourmille de belles choses. Les chapelles regorgent de peintures merveilleuses et de sculptures parfaites. Ce ne sont que festons, ce ne sont qu'astragales. Tout cela est disposé au hasard, sans ordre, pêle-mêle, tohu-bohu. Ce sont des chaos que ces églises belges, mais des chaos qui contiennent des mondes.

La cathédrale de Malines est badigeonnée de blanc à l'intérieur[18] et encombrée de fantaisies étranges de l'art au XVIIIe siècle. En revanche, l'extérieur est prodigieux. La tour terrifie. J'y suis monté. Trois cent soixante-dix-sept pieds de haut, cinq cent cinquante-quatre marches! Presque le double des tours de Notre-Dame.

Cette œuvre monstrueuse est inachevée. Elle devait être surmontée d'une flèche de deux cent soixante pieds de haut, ce qui lui eût fait passer de plus de cent pieds la grande pyramide de Gisèh. Les Hollandais en ont été jaloux, une tradition du pays dit que ce sont eux qui ont emporté en Hollande les pierres destinées à parfaire la grande tour.

A chaque face de cette tour, il y a un cadran en fer doré de quarante-deux pieds de diamètre. Tout cet énorme édifice est habité par une horloge; les poids montent, les roues tournent, les pendules vont et viennent, le carillon chante. C'est de la vie, c'est une âme.

Lierre.
BRUYLANT E. et VAN BEMMEL E.,
op. cit.

Le chant du carillon se compose de trente-huit cloches, toutes frappées de plusieurs marteaux, et de six gros bourdons de la tour qui font les basses. Ces six bourdons sont d'accord, excepté le maître bourdon, qui est maintenant fêlé, et qui pèse dix-huit mille huit cents livres. La plus petite de ces six cloches pèse trois mille quatre cents. Le cylindre de cuivre du carillon pèse cinq mille quatre cent quarante-deux livres. Il est percé de seize mille huit cents trous d'où sortent les becs de fer qui vont mordre d'instant en instant les fibres du carillon.

A de certains jours, un homme s'assied là à un clavier que j'ai vu, comme Didine se met au piano, et joue de cet instrument. Figure-toi un piano de quatre cents pieds de haut qui a la cathédrale tout entière pour queue.

J'admire, depuis que je suis en Flandre, la ténuité et la délicatesse des meneaux de pierre auxquels s'attachent les verrières des fenêtres. Cette cathédrale de Malines a une vraie chemise de dentelle.

A Malines le chemin de fer passe. Je suis allé le voir. Il y avait là dans la foule un pauvre cocher de coucou, picard ou normand, lequel regardait piteusement les wagons courir, traînés par la machine qui fume et qui geint. «Cela va plus vite que vos chevaux, lui dis-je. — Beau miracle! m'a répondu cet homme. *C'est poussé par une foudre.*» Le mot m'a paru pittoresque et beau.

Outre les wagons, ils ont ici une espèce de voiture singulière. C'est une brouette avec un chien devant et une femme derrière. Le chien tire, la femme pousse.

Je suis toujours ici dans le plus profond incognito, ce qui me plaît beaucoup. Je viens de lire dans un journal belge que *M. Victor Hugo visite en ce moment Rochefort.* Après-demain je serai à Anvers et j'aurai tes lettres. J'aurai de vos nouvelles à tous. Ce sera bien de la joie. Depuis deux jours je me retiens, car je touche à Anvers, et je brûle d'y être, mais je ne veux rien laisser derrière moi. Il y a deux Rubens admirables à Malines[19], et j'en vais voir d'autres à Lier et à Turnhout. Je t'embrasse, mon Adèle, ainsi que ton père et nos chers petits. Je vous aime tous. Je continue à cuire au soleil.

N'oublie pas que c'est désormais à Dunkerque, *poste restante,* qu'il faut m'écrire.

Anvers

Anvers, 22 août, 4 heures du soir.

Je viens, mon Adèle, de relire ta lettre du 14, bien heureux de la trouver si bonne, et bien triste de la trouver seule. C'est une vive joie pour moi de savoir qu'il y a du bonheur autour de toi. La lettre de ma Didine est bien gentille aussi, et je compte en trouver encore une, et plusieurs de toi, à Dunkerque. La poste de France arrive ici à quatre heures et demie. Je ne quitterai pas Anvers sans aller y voir encore une fois. Peut-être une bonne lettre de toi m'arrivera-t-elle. Elle serait bien venue.

Je suis arrivé hier ici à dix heures du matin. Depuis ce moment je cours d'église en église, de chapelle en chapelle, de tableau en tableau, de Rubens en Van Dyck. Je suis épuisé d'admiration et de fatigue. Ajoute à cela que je suis monté sur le clocher, six cent seize marches, quatre cent soixante-deux pieds, la plus haute flèche du monde après Strasbourg. C'est tout à la fois un édifice gigantesque et un bijou miraculeux. Un titan pourrait y habiter, une femme voudrait l'avoir à son cou. J'ai vu de là tout Anvers, une ville gothique comme je les aime, et l'Escaut, et la mer, et la citadelle, et la fameuse lunette Saint-Laurent. C'est une pointe de gazon avec deux petites maisons rouges au bout.

Cette ville est admirable. Des peintures dans les églises, des sculptures sur les maisons, Rubens dans les chapelles, Verbruggen sur les façades, l'art y fourmille. On recule pour admirer le portail de l'église, on se heurte à quelque chose, on regarde, c'est un puits: un puits magnifique, en pierre sculptée et en fer ciselé, avec des statuettes et des figurines. De qui est ce puits? De Quentin Metzis.

On se retourne. Qu'est-ce que c'est que cet immense édifice avec cette belle devanture de la Renaissance? C'est l'Hôtel de ville. On fait deux pas. Qui a dessiné cette grande façade rococo si flambante et si riche? C'est Rubens[20]. Toute la ville est ainsi.

J'excepte le quartier neuf, qui est bête ici comme partout ailleurs et qui prend des airs de rue de Rivoli.

Je suis réconcilié avec les chemins de fer[21]; c'est décidément très beau. Le premier que j'avais vu n'était qu'un ignoble chemin de fabrique. J'ai fait hier la course d'Anvers à Bruxelles et le retour. Je partais à quatre heures dix minutes et j'étais revenu à huit heures un quart, ayant dans l'intervalle passé cinq quarts d'heure à Bruxelles et fait vingt-trois lieues de France.

C'est un mouvement magnifique et qu'il faut avoir senti pour s'en rendre compte. La rapidité est inouïe. Les fleurs du bord du chemin ne sont plus des fleurs, ce sont des taches ou plutôt des raies rouges ou blanches; plus de points, tout devient raie; les blés sont de grandes chevelures jaunes, les luzernes sont de longues tresses vertes; les villes, les clochers et les arbres dansent et se mêlent follement à l'horizon; de temps en temps, une ombre, une forme, un spectre debout paraît et disparaît comme l'éclair à côté de la portière; c'est un garde du chemin qui, selon l'usage, porte militairement les armes au convoi. On se dit dans la voiture: C'est à trois lieues, nous y serons dans dix minutes.

Le soir, comme je revenais, la nuit tombait. J'étais dans la première voiture. Le remorqueur flamboyait devant moi avec un bruit terrible, et de grands rayons rouges, qui teignaient les arbres et les collines, tournaient avec les roues. Le convoi

**Le départ d'Anvers,
1ᵉʳ août 1852.
A la gauche de Victor
Hugo, Alexandre Dumas.**
*Dessin de F. Lix dans CAMBY J.,
Victor Hugo en Belgique,
Paris, E. Droz, 1935.*

qui allait à Bruxelles a rencontré le nôtre. Rien d'effrayant comme ces deux rapidités qui se côtoyaient, et qui, pour les voyageurs, se multipliaient l'une par l'autre.

On ne se distinguait pas d'un convoi à l'autre; on ne voyait passer ni des wagons, ni des hommes, ni des femmes, on voyait passer des formes blanchâtres ou sombres dans un tourbillon. De ce tourbillon sortaient des cris, des rires, des huées. Il y avait de chaque côté soixante wagons, plus de mille personnes ainsi emportées, les unes au nord, les autres au midi, comme par l'ouragan.

Il faut beaucoup d'efforts pour ne pas se figurer que le cheval de fer est une bête véritable[22]. On l'entend souffler au repos, se lamenter au départ, japper en route; il sue, il tremble, il siffle, il hennit, il se ralentit, il s'emporte; il jette tout le long de la route une fiente de charbons ardents et une urine d'eau bouillante; d'énormes raquettes d'étincelles jaillissent à tout moment de ses roues ou de ses pieds, comme tu voudras, et son haleine s'en va sur vos têtes en beaux nuages de fumée blanche qui se déchirent aux arbres de la route.

On comprend qu'il ne faut pas moins que cette bête prodigieuse pour traîner ainsi mille ou quinze cents voyageurs, toute la population d'une ville, en faisant douze lieues à l'heure.

Après mon retour, il était nuit, notre remorqueur a passé près de moi dans l'ombre se rendant à son écurie, l'illusion était complète. On l'entendait gémir dans son tourbillon de flamme et de fumée comme un cheval harassé.

Il est vrai qu'il ne faut pas voir le cheval de fer; si on le voit, toute la poésie s'en va. A l'entendre c'est un monstre, à le voir ce n'est qu'une machine. Voilà la triste infirmité de notre temps; l'utile tout sec, jamais le beau. Il y a quatre cents ans, si ceux qui ont inventé la poudre avaient inventé la vapeur, et ils en étaient bien capables, le cheval de fer eût été autrement façonné et autrement caparaçonné; le cheval de fer eût été quelque chose de vivant comme un cheval et de terrible comme une statue. Quelle chimère magnifique nos pères eussent faite avec ce que nous appelons la chaudière! Te figures-tu cela? De cette chaudière ils eussent fait un ventre écaillé et monstrueux, une carapace énorme; de la cheminée une corne fumante ou un long cou portant une gueule pleine de braise; ils eussent caché les roues sous d'immenses nageoires ou sous de grandes ailes tombantes; les wagons eussent eu aussi cent formes fantastiques, et, le soir, on eût vu passer près des villes tantôt une colossale gargouille aux ailes déployées, tantôt un dragon vomissant le feu, tantôt un éléphant la trompe haute, haletant et rugissant; effarés, ardents, fumants, formidables, traînant après eux comme des proies cent autres monstres enchaînés, et traversant les plaines avec la vitesse, le bruit et la figure de la foudre. C'eût été grand. Mais nous, nous sommes de bons marchands bien bêtes et bien fiers de notre bêtise. Nous ne comprenons ni l'art, ni la nature, ni l'intelligence, ni la fantaisie, ni la beauté, et ce que nous ne comprenons pas, nous le déclarons inutile du haut de notre petitesse. C'est fort bien. Où nos ancêtres eussent vu la vie, nous voyons la matière. Il y a dans une machine à vapeur un magnifique motif pour un statuaire; les remorqueurs étaient une admirable occasion pour faire revivre ce bel art du métal traité au repoussoir. Qu'importe à nos tireurs de houille! Leur machine telle qu'elle est dépasse déjà de beaucoup la portée de leur lourde admiration. Quant à moi, on me donne Watt tout nu, je l'aimerais mieux habillé par Benvenuto Cellini.

A propos, je te note ici, pendant que j'y songe, qu'il y a dans le clocher d'Anvers quarante cloches en bas et quarante-deux en haut, en tout quatre-vingt-deux.

Entends-tu cela, ma Didine? Quatre-vingt-deux cloches! Figure-toi le carillon qui sort de cette ruche.

Lier, où j'ai terminé ma dernière lettre, est une assez jolie ville. J'ai dessiné le clocher de l'Hôtel de ville, qui est charmant.

De Lier à Turnhout le pays change d'aspect; ce n'est plus la grasse Flandre verte; c'est un banc de sable, une route cendreuse et pénible, une herbe maigre, des forêts de pins, des bouquets de petits chênes, des bruyères, des flaques d'eau çà et là, quelque chose de sauvage et d'âpre, une espèce de Sologne. J'ai fait quatre lieues dans ce désert sans voir autre chose qu'un trappiste qui défrichait, triste laboureur d'un triste sillon. C'était beau d'ailleurs pour la pensée de voir cette robe blanche et ce scapulaire noir pousser deux bœufs.

La solitude était telle que les grives et les alouettes traversaient familièrement la route. Une jolie bergeronnette a suivi la voiture pendant un quart d'heure, sautant d'arbre en arbre, vive et joyeuse, et s'arrêtant de temps en temps pour piquer une mouche au pied de quelque jeune chêne.

Je suis resté longtemps les yeux fixés sur ce trappiste. La lande était immense et aride comme une plaine de la Vieille-Castille; la terre rousse et brûlée par le soleil faisait çà et là à l'horizon de ces petites dentelures brusques qui figurent des marches d'escalier; pas un clocher au loin, à peine un arbre. La route était bordée à cet endroit-là de quelques chênes morts. Le religieux était assisté d'un paysan qu'il enseignait avec un geste grave et rare sans prendre garde à nous autres passants. De temps en temps, il se retournait, et le soleil couchant dessinait vivement par les ombres et par les clairs sa figure austère et sereine. Je ne sais si cet homme pensait, mais je sais qu'il faisait penser.

A quelques lieues de là, passant près de je ne sais quelle bourgade et revenu cette fois dans la belle Flandre, j'ai remarqué un grand peuplier desséché au milieu d'une petite place à l'entrée du village. On m'a dit que c'était un arbre de la constitution. J'en suis fâché pour la constitution, mais cela faisait un piteux effet. Rien de plus chétif que cette idée politique plantée au milieu des paysages. Rien de misérable et d'effronté en même temps comme ce témoignage rendu à la petite puissance de l'homme en présence de la nature et de Dieu. D'un côté des forêts, des plaines, des collines, des rivières, des nuages, la terre et le ciel; de l'autre, une méchante perche desséchée qu'on est obligé d'étayer contre le vent.

Et puis quelles idées cela fait venir! Il y avait un arbre qui avait une racine, des branches et des feuilles, qui était vert et vivant; on a pris cet arbre, on lui a coupé sa racine, les feuilles sont tombées, les branches sont mortes, et l'on a été bêtement le replanter dans un sol qui n'est plus le sien. Fidèle symbole de tant de constitutions modernes qui ne sont ni du passé, ni de l'avenir, ni du climat.

A propos de climat, j'ai quelque peine à me faire à celui-ci. C'est une espèce d'été fort lourd et fort épais, et où l'on respire comme une vapeur de bière. Je suis écrasé par ces chaleurs flamandes.

Je ne m'accoutume pas non plus à ce qu'on boit ici. Rien de nauséabond comme ce faro et ce lambic. Je fais décidément peu de cas du vin de Flandre et du vin de Normandie. J'aime mieux le cidre de Bourgogne et la bière de Bordeaux.

Leurs puits sont singuliers. Ils puisent l'eau avec une grue. Il est assez curieux de les voir tirer un seau de la citerne comme Archimède enlevait les navires de la mer au siège de Messine.

Henri De Braekeleer,
vue de la ville d'Anvers,
huile sur toile.
M.R.B.A.B. 3636. Cl. Speltdoorn.

Tu vois, chère amie, comme je bavarde avec toi. Je te dis tout, et je retire ainsi une seconde joie des choses que je vois. J'ai fait tout ce que ma bourse m'a permis de faire de ta commission. Je te rapporte une demi-douzaine de bas anglais qu'on m'a dit fort beaux. J'ai acheté aussi des chaussettes pour moi. Il paraît qu'un homme ne pourrait sous aucun prétexte faire passer une robe à la frontière. Il ne pourrait exciper de son usage personnel et la douane saisirait. C'est ce qui m'a empêché de t'acheter la robe que tu désirais.

J'ai oublié de te dire que j'ai acheté pour trente sous à Bruxelles une contrefaçon des *Voix intérieures*. Je suis curieux de voir si elle passera. Je me suis vu affiché partout à Bruxelles et à Anvers, et imprimé dans tous les formats.

Au moment où j'achève cette page, j'entends le carillon du grand clocher qui m'avertit de fermer cette lettre. C'est vraiment à part cela, une musique charmante. Il faut que cette flèche si frêle en apparence ait une solidité énorme. Cela sonne ainsi nuit et jour huit fois par heure depuis trois cents ans.

6 heures du soir.

Je reviens de la poste. Pas de lettres. Je ne t'en embrasse pas moins tendrement, mon Adèle, mais tu me dédommageras à Dunkerque, n'est-ce pas? Embrasse ton père et nos chers petits. Mille amitiés à nos amis. Je pars pour Gand.

A LOUIS BOULANGER[23]

Anvers, le 22 août 1837.

Je vous écris d'Anvers, cher Louis, c'est tout vous dire; je suis en pleine Flandre, à même les cathédrales, les Rubens et les Van Dyck. C'est un admirable pays. Hier, j'étais au haut de la flèche de cette merveilleuse cathédrale, et je pensais à vous. Je pense à vous toutes les fois qu'une chose contient un tableau ou une pensée.

Je voyais, du même regard, devant moi la mer et Flessingue à vingt-deux lieues, à gauche la Flandre et les tours de Gand, à droite la Hollande et la flèche de Bréda, derrière moi le Brabant et le clocher de Malines; puis l'Escaut, large et brillant au soleil, et, entre la mer et l'Escaut, les polders inondés, une prairie de cinq lieues de tour changée en lac, à droite une autre prairie toute verte et scintillante de maisons blanches; à mes pieds les quelques toits de la tête de Flandre bloqués par l'eau; sous moi Anvers, qui est, au XIXᵉ siècle, comme était Paris au XVIᵉ, un amas magnifique d'églises et d'hôtels, de toits taillés, de pignons contournés, de clochers carrés et pointus, avec mille accidents de tourelles et de façades étranges; de grosses vieilles maisons amusantes, qui sont la Boucherie, qui sont la Draperie, qui sont la Bourse; un devant d'Hôtel de ville qui ressemble à une architecture de Paul Véronèse, un portail d'église qui ressemble à un fond de Rubens et qui est de Rubens[24]; mille voiles sur l'Escaut, dans un coin du paysage le chemin de fer où disparaissait un convoi de wagons, près du chemin de fer une grande étoile de gazon couchée à plat sur le sol qui est la citadelle, enfin au-dessus de tout cela un ciel de nuages déchiquetés comme dans Albert Dürer avec un beau rayon de pluie qui tombait au loin; voilà ce que je voyais hier, en regrettant que vous ne le vissiez pas.

Et puis, en descendant de l'église, à chaque pas, des Rubens[25], des Martin de Vos[26], des Otto Venius[27], des Van Dyck[28]; des sculptures de Verbruggen[29] et de Willemsens[30], de grands confessionnaux de chêne, d'immenses chapelles de marbre, des chaires qui sont des poèmes. J'ai vu là la *Descente de croix* de Rubens, cette merveille.

Tout cela, il faut le dire, est honteusement exploité. Les bedeaux cachent le plus de tableaux qu'ils peuvent pour faire payer trente sous aux étrangers. En attendant, le maître reste dans l'ombre. Il y a ce genre à l'église Saint-Jacques, où est le tombeau de Rubens, un drôle qui est suisse de l'église et qui mériterait d'être fustigé en place publique. Ce misérable dispose de Rubens à sa guise, le cache ou le montre, le prête ou le retire, le tout à son gré, sans contrôle, insolemment, souverainement, absolument. C'est odieux.

Le doyen de la cathédrale, un certain M. Lawez, a fait couvrir d'une serge, sous prétexte d'indécence, un *Jugement dernier* qui est le meilleur tableau de Backers[31]. Impossible de faire lever cette serge. Voilà un stupide doyen, n'est-ce pas?

Je songe souvent à vous, Louis, dans ce pays qui vous plairait tant. Avant-hier, j'étais à Turnhout, une petite ville qui est par là vers le nord. Je me promenais, le soleil était couché. Tout à coup au détour d'une petite rue déserte, je me suis

**Hippolyte Sebron,
Anvers, intérieur de l'église
Saint-Jacques.**
M.R.B.A.B. 1068. Cl. Speltdoorn.

trouvé dans la campagne. Il y avait à quelque distance une grosse vieille tour carrée vers laquelle j'ai marché. C'était vraiment beau. Une vieille tour en brique, haute, énorme, massive, cordonnée près du sommet d'une petite dentelure byzantine, adossée à un vieux château refait et gâté, mais le couvrant de son ombre et ayant du reste conservé, elle, sa forme exquise et sévère. Au pied de la tour miroitait un fossé d'eau vive dans lequel sa hauteur se doublait. Toutes les fenêtres étaient masquées de barreaux de fer. C'était une prison.

Je me suis arrêté longtemps près de cette sombre masse que le crépuscule noircissait à chaque instant.

Il sortait d'une des fenêtres d'en haut un chant plein de tristesse et de douceur. Je me souvenais d'en avoir entendu un aussi mélancolique et aussi grave au Mont-Saint-Michel, l'an dernier. Comme c'était la kermesse d'août, il y avait au loin dans la ville un bruit de danses et de rires. Le chant du prisonnier coupait cela sans dureté et sans colère.

Le jour s'éteignait à l'occident, les roseaux du fossé frissonnaient, de temps en temps un gros rat passait rapidement sur la saillie du pied de la tour. Et puis le fond du paysage était un vrai fond flamand, deux ou trois grosses touffes d'arbres, une vieille église rouge à pignon en volutes, à grand toit et à petit clocher, un hameau très bas fumant à côté, une plaine immense et noire, un ciel clair, pas un nuage. Je n'ai jamais rien vu de plus austère et de plus doux.

Mais je me laisse aller à causer avec vous, mon bon Louis, et il n'y a pas de raison pour que cette lettre finisse, surtout si je me mets à vous parler maintenant de ma vieille amitié, vous la connaissez bien, n'est-ce pas, Louis?

Je vous embrasse de toute mon âme.

Albums.

Où placer le monument de Rubens? à Anvers, ou à Cologne? Cologne a son berceau; Anvers a ses tableaux. Cologne l'a vu naître, Anvers l'a vu peindre. Cologne l'a vu petit, Anvers l'a vu grand.

A Anvers, il a eu le sourire de la gloire. A Cologne, il avait eu le sourire de sa mère. Un grand homme a deux naissances; la première, comme homme, la seconde, comme génie. Donc Rubens a deux patries. Faites-lui deux monuments.

Une crèche de marbre blanc à Cologne, un sépulcre de bronze à Anvers.

Gand - Audenarde - Tournai

Audenarde, 24 août, 8 heures du soir.

Il semble, chère amie, que mes imprécations contre la chaleur de ce lourd pays aient fait effet. Comme je fermais ma dernière lettre, le ciel s'est couvert et m'a gratifié de la pire des pluies, la pluie fine et froide qui embrasse tout l'horizon et dure toute la journée.

Pour aller d'Anvers à Gand, il faut traverser l'Escaut. Comme les polders sont inondés, et cela depuis neuf mois, le trajet par eau est plus long, et le bateau à vapeur vous mène prendre un chemin de traverse soudé à la route de Gand une demi-lieue au-dessus de la Tête de Flandre. Tu penses bien que je n'ai pas été fâché de cette petite promenade presque en mer. Malgré la pluie, je suis resté sur le pont, écoutant vaguement s'éloigner le chant des matelots qui allaient en mer, et regardant la haute flèche d'Anvers disparaître dans la brume.

Je n'ai fait que passer à Gand (mais je compte y revenir quand j'aurai vu Tournai et Courtrai).

C'est une belle ville que Gand. Gand est à Anvers ce que Caen est à Rouen: une chose belle à côté d'une chose admirable. J'ai cependant pris le temps de visiter Saint-Bavon et, bien entendu, je suis monté sur la tour. Pour moi, il y a deux façons de voir une ville qui se complètent l'une par l'autre; en détail d'abord, rue à rue et maison à maison; en masse ensuite, du haut des clochers. De cette manière on a dans l'esprit la face et le profil de la ville.

Vue du haut de Saint-Bavon, c'est-à-dire de deux cent soixante-douze pieds de haut, et il faut monter quatre cent cinquante marches pour arriver là, Gand a sa configuration gothique presque aussi bien conservée qu'Anvers. La tour du beffroi, surmontée d'un énorme griffon doré, a pour toit un fort amusant entassement de clochetons, de lucarnes et de girouettes. A côté il y a une vieille et noire église, Saint-Nicolas, dont la façade, presque romane, est admirable. C'est une grande ogive sévère, flanquée de deux tourelles crénelées du plus grand style. Un peu plus loin, c'est Saint-Michel qui, comme Saint-Nicolas, se présente par l'abside. Deux ou trois autres églises pyramident plus loin encore au milieu des toits taillés en escaliers. En se retournant, c'est Saint-Jacques, qui a trois aiguilles, dont une en pierre et deux en ardoise. A côté, une belle place à hauts pignons coupés de deux vieux logis de pierre du XIVe siècle, avec tourelles et grands toits[32]. Celui qui est au milieu du petit côté de la place était la maison des comtes de Flandre. Cette place est le marché aux toiles; et puis il y a une foule d'autres marchés pittoresques, des couvents, de petits carrefours tortus enclos de maisons crénelées qui ont toutes sortes d'attitudes et brisent leurs lignes les unes sur les autres d'une façon charmante; et puis un toit immense qui couvre une grande nef austère du XIVe siècle, sans tour ni clocher, c'est l'église des Dominicains[33]. En ce moment-là, plusieurs moines y entraient avec leur admirable costume, la robe blanche et le scapulaire noir. A mes pieds l'hôtel de ville avec ses deux façades, l'une du temps de Louis XIII, l'autre du temps de Charles VIII[34], l'une sévère, l'autre ravissante. Ajoute à cela hors de la ville un immense horizon de prairies et dans la ville une multitude de petits ponts et de cours d'eau où les maisons se baignent; et tu auras quelque idée de Gand à vol d'oiseau.

Victor Hugo,
Gros canon de Gand,
plume, 24 août 1837.
*B.N. Ms. n.a.f. 13.391,
fol. 121. Cl. B.N.*

James Ensor,
Hôtel de ville d'Audenarde.
Collection du Crédit Communal.

C'est vraiment une belle ville; quatre rivières s'y rencontrent, l'Escaut, la Liève, la Moer et la Lys. C'est un réseau d'eau vive qui se noue et se dénoue à tout moment à travers les maisons et qui partage la ville en vingt-six îles; ce qui fait qu'avec ses barques, ses innombrables ponts, ses vieilles façades trempées dans l'eau, Gand est une espèce de Venise du Nord.

Précisément au pied de la cathédrale, dans un pâté de lourdes maisons flamandes, mon guide m'a fait remarquer une jolie cour-jardin, coquette, verte et sablée, entourée d'un portique du dernier siècle, tout rocaille et chicorée, avec colonnade et statues de marbre bleu. Cette maison et ce jardin sont de l'aspect le plus frais et le plus gai. C'était le logis de ce vieux millionnaire Maes qui a été si misérablement assassiné il y a deux ans et qui remplissait d'or ses vieux chapeaux. Maintenant on bâtit chez lui, on ajoute un étage à sa maison, la joie et la richesse sont là.

Je n'ai jamais plaint ce vieux homme.

Il y a beaucoup de façades rocaille à Gand parmi les pignons gothiques, et des plus tourmentées, ce qui les fait passer. Le rococo n'est supportable qu'à la condition d'être extravagant.

Mais est-ce que tout ce bavardage ne t'ennuie pas, ma pauvre bien-aimée?

Je cause avec toi comme si j'étais au coin de notre feu de la place Royale.

Je te conte tout. Je te mets le plus que je peux de mon voyage. Avertis-moi, mon Adèle, si mon récit ne t'amuse pas.

Voici qui te fera rire pourtant. Tout à l'heure, en sortant de Gand, entre Gand et Audenarde, j'ai vu dans un village une enseigne d'auberge où était peinte la figure d'un homme coiffé à la Titus, avec de gros favoris, des épaulettes d'or, un uniforme bleu à revers blancs, et la croix de Léopold au cou. Au bas, il y avait cette inscription: *Louis XIV, roi de France.* Je dis la chose comme elle est, je n'invente rien.

On ne rencontre dans ce pays ni manoirs, ni donjons, ni châteaux. On voit que c'est le pays des communes et non des seigneurs, des bourgeoisies et non des châtellenies. En revanche, il y a partout des hôtels de ville, charmantes fleurs de pierre, que le XVᵉ siècle surtout a fait épanouir avec splendeur au milieu des villes.

Ici, par exemple, à Audenarde, où je t'écris, et qui n'est qu'une petite ville, je vois de ma fenêtre de l'*Hôtel du Lion d'or,* le profil d'une ravissante maison de ville du gothique le plus fleuri, couronnée d'une vraie couronne de pierre que surmonte un géant armé et doré portant le blason de la ville.

Toute la place que j'ai sous les yeux est charmante, quoiqu'elle ait conservé trop peu de ses vieux pignons. Au milieu de la façade de l'Hôtel de ville il y a une fort jolie fontaine[35] de 1676. Le duc de Saint-Simon n'avait qu'un an lorsqu'on l'a construite. A côté de la fontaine un beau peuplier, et puis là-bas, au-dessus des maisons, un beau clocher de gothique austère. Le soleil couchant fait de beaux angles d'ombre dans tout cela.

Ils ont en Flandre la sotte habitude de fermer toutes les églises à midi. Passé midi on ne prie plus. Le bon Dieu peut s'occuper d'autre chose. Cela fait que des deux églises d'Audenarde je n'ai pu visiter que la moindre, qui est encore fort remarquable avec son abside romane[36]. Il y a deux beaux tombeaux indignement mutilés. J'ai été obligé, pour les voir, de franchir un bataillon de vieilles femmes, lesquelles lavaient l'église et venaient en bougonnant éponger le pavé jusque sous mes pieds. J'ai eu la satisfaction de faire sortir de leurs bouches diverses imprécations flamandes que j'ai laissées paisiblement voltiger dans l'église.

**Pierre-François de Noter,
Gand,
hiver, vue prise du Pont-Neuf,**
(détail), huile sur acajou.
M.R.B.A.B. 76. Cl. Speltdoorn.

Ces braves dames flamandes continuent de justifier ce que je t'en disais.
Elles consacrent vingt-quatre heures de la journée à laver leur maison, et la vingt-cinquième à se laver elles-mêmes. Du reste, elles sont pour la plupart fort jolies, presque toutes blanches avec des cheveux noirs, comme toi, mon Adèle chérie.
Le dimanche elles mettent un fort beau bonnet de dentelle d'une forme charmante.
A Lier, elles le soutiennent d'une espèce de ruban d'épingles fort singulier et fort joli. Il va sans dire que je ne parle ici que des paysannes. Les femmes de Bruxelles portent la faille, presque la mantille, ce qui les drape admirablement.
J'ai vu le gros canon de Gand dont je te fais ici un petit croquis[37].
C'est un énorme tube, fait en lames de fer forgé, un vrai engin du XVe siècle.
Ceux de Gand en ont fort peu de soin. Ils l'ont juché sur trois façons d'assises rococo sculptées en guirlandes, et toute la gueule de la bombarde n'est qu'un réceptacle d'ordures. Ce canon a dix-huit pieds de long et pèse trente-six mille livres. On distingue très bien, dans l'intérieur, les cannelures que font les lames de fer. La bouche a deux pieds et demi de diamètre. Cela jetait de gros boulets de granit ou des tonneaux de mitraille. C'est énorme.
Ce n'est rien cependant à côté de ces bombardes de Mahomet II que traînaient quatre mille hommes et deux mille jougs de bœufs, et qui vomissaient d'immenses blocs de rochers. C'étaient des espèces de volcans que ce Turc penchait sur Constantinople.
Il y a de beaux tableaux à Saint-Bavon, deux surtout, l'un de Rubens, l'autre de Jean Van Eyck, l'inventeur de la peinture à l'huile. Celui de Rubens, qui représente l'admission de saint Amand au monastère de Saint-Bavon, est admirable[38].
Le groupe d'en bas est de la plus superbe tournure. L'autre, d'un style tout différent, n'est pas moins merveilleux[39]. Van Eyck est aussi calme que Rubens est violent. Il y a encore une belle peinture d'un élève de Van Eyck[40] et une autre, belle de même, du maître de Rubens[41]. Ces quatre peintres font une sorte d'escalier par lequel il est curieux de descendre, d'époque en époque, ou pour mieux dire de monter, de Van Eyck à Rubens. Nous connaissons à peine à Paris cet Otto Venius, qui a été le maître de Rubens. Chose remarquable! c'est aussi un peintre calme.
Au reste, chacune de ces églises flamandes est un musée. J'y voudrais voir notre bon et cher Boulanger.
A part cela, j'aime mieux nos églises de France. Décidément, celles-ci sont trop propres. La propreté excessive, en fait de monuments, est un grand défaut.
D'abord elle entraîne le badigeonnage, cette suprême saleté, et puis le lavage perpétuel. Or la couleur des siècles est toujours belle et la poussière du jour l'est quelquefois. L'une est la trace des générations, l'autre est la trace de l'homme.
Tout est blanc, luisant, poli, épongé, miroitant, dans les églises belges.
A chaque pas, l'opposition dure et criarde et prodiguée partout du marbre blanc et du marbre noir. Fort peu de ces belles teintes grises et moisies de nos vieilles cathédrales. Pas de vitraux. Briser les vitraux et badigeonner les églises, souvent aussi jeter bas les jubés[42], voilà de quoi se compose la dévastation propre aux prêtres. Ils veulent à toute force être vus; pour cela il faut blanchir les vitres, blanchir les murs et renverser les jubés. O coquetterie, où vas-tu te nicher?
Depuis que je suis en Belgique, je n'ai vu que deux ou trois jubés, et encore cruellement peinturlurés, deux ou trois verrières, deux églises seulement non badigeonnées, Sainte-Waudru de Mons et la Chapelle de Bruxelles.

En Belgique, point de ces beaux portails encombrés d'admirables statues, comme à Chartres, comme à Reims, comme à Amiens. Les portails des plus belles cathédrales n'ont pas une seule figure sculptée. C'est étrange. Il est vrai qu'une flèche comme celle d'Anvers rachète bien des choses. Quelle magnifique œuvre! C'est de l'orfèvrerie autant que de l'architecture. Et je fais cas d'une orfèvrerie qui a cinq cents pieds de haut.

Tournai, 26 août.

La diligence avait interrompu ma lettre. C'est à Tournai, mon Adèle, que je la finis. La route d'Audenarde ici est une prairie sans fin, coupée de verdures et de petites rivières. On voit à gauche la charmante colline qui masque le cours de l'Escaut. Tournai doit tenir son nom des tours dont elle est couverte[43]. La cathédrale seule a cinq clochers. C'est une des plus rares églises romanes que j'aie vues. Il y a dans l'église un admirable *Jugement dernier* de Rubens, et un magnifique reliquaire d'argent doré, énorme, massif, et travaillé en bijou. Les deux portails latéraux de l'église sont du byzantin le plus beau et le plus curieux. Toute cette ville est d'un immense intérêt.

Hier au soir, comme c'était la Saint-Louis, le beffroi, superbe tour presque romane, était illuminé de lanternes de couleur, bariolage charmant et lumineux que commentait le carillon le plus bavard et le plus amusant du monde. Une symphonie de lanciers belges répondait de la place d'armes à ce vacarme aérien. Toutes les cloches étaient en mouvement, et toutes les femmes aussi. Toute cette vieille ville, ainsi livrée à ce joyeux babil de fête, était ravissante à entendre et à voir. Je me suis promené longtemps dans une rue sombre, regardant les cinq aiguilles géantes de la cathédrale, qu'éclairait vaguement la réverbération du beffroi illuminé.

Je pensais à notre place Royale, à tous nos amis, à toi surtout, mon Adèle, et à nos enfants bien-aimés. Je vous aurais tous voulus là en ce moment. Oh! va, le jour où nous éprouverons toutes ces émotions ensemble sera un beau jour pour moi, crois-moi bien, mon pauvre ange, et aime-moi. J'embrasse ma Didine, mon Charlot et puis Toto et puis Dédé. J'espère que tous sont toujours bons et heureux. Je serre la main à ton excellent père.

Tournai - Ypres

Courtrai, 27 août, 7 heures du soir.

Hier j'étais à Tournai, je suis parti, j'ai traversé Courtrai, j'ai vu Menin, j'ai visité Ypres, et je reviens à Courtrai. Tu le vois, chère amie, je vais et je viens, je ne veux laisser échapper aucune de ces vieilles villes. Partout où il y a une cathédrale, un hôtel de ville ou un Rubens, j'accours. Cela me fait faire des zigzags sans fin. Mon voyage dessine à travers la Belgique une extravagante arabesque. C'est que, dans ce pays-ci, de six lieues en six lieues il y a une ville comme on en trouve en France toutes les soixante lieues.

Avant de quitter Tournai, j'ai été revoir la cathédrale, qui est vraiment d'une rare beauté. C'est une église romane presque comparable à celle de Noyon, et qui a, de plus que Noyon, un ravissant jubé de la Renaissance tout en marbre de diverses couleurs, avec deux étages de bas-reliefs, l'un de l'Ancien, l'autre du Nouveau

Testament, lesquels s'expliquent fort curieusement, ceux d'en bas par ceux d'en haut, le symbole par le fait, la prophétie par l'accomplissement, Isaac portant le bois de son bûcher par Jésus portant sa croix, Jonas dévoré par la baleine et revomi au bout de trois jours par Jésus descendant au tombeau et en ressortant aussi le troisième jour, etc. Tout ce jubé est fouillé du ciseau le plus tendre et le plus spirituel.

C'est une antique ville que Tournai. Presque toutes les églises sont du XIe au XIIIe siècle[44]. J'y ai vu des maisons romanes[45]. Te rappelles-tu, mon Adèle, celle que nous vîmes ensemble à Tournus dans ce beau voyage de 1825 qui est le plus doux souvenir de ma vie?

Mais je reprends mon journal. Au portail nord de la cathédrale de Tournai, qui est roman, il y a une singularité que je n'ai vue que là. Ce sont deux fenêtres à plein cintre fermées que le sculpteur a figurées dans la pierre. Les volets avec leurs ferrures et leurs verrous sont fort soigneusement travaillés. Du reste, ce portail est dans un état de délabrement déplorable. Le gros clocher qui monte à gauche se lézarde du haut en bas.

Je ne te parle que d'architecture, chère amie, car vraiment mes aventures sont nulles, et les conversations de table d'hôte sont partout les mêmes. — Comprenez-vous M. Raymond? il s'obstine à jouer aux dominos! Il perd chaque fois, ce qui fait qu'il paie l'estaminet tous les soirs à trois personnes. — On vend à Liége des redingotes à vingt-cinq francs, en drap. — En drap! est-il possible? — En vérité oui, du drap de Luxembourg à trois francs soixante-quinze, cinq aunes, dix-huit francs quinze sous, doublure et fournitures, deux francs quinze, commission, cinq sous, vingt-trois francs, deux francs de bénéfice, et allez! — Etc. — Voilà ma conversation d'hier au soir à Menin.

Menin a des souvenirs. Elle a eu l'honneur d'être assiégée par Louis XIV[46]. Voilà tout. C'est une femme laide et commune qui a eu par hasard un bel amoureux. Rien du reste de remarquable sur la façade des maisons ni sur la face des habitants.

J'ai retrouvé de ces brouettes de Bruxelles tirées par un chien et poussées par une femme. Le sire de Canaples, qui craignait tant les puces pour ses chiens, n'eût pas attelé les siens à ces haquets-là.

Je dessine, je rêve et j'étudie, laissant parler les Belges autour de moi. J'admire comme ils parlent flamand en français. Ils ont un *n'est-ce pas?* qu'ils mettent à toute sauce. Les femmes disent ce *n'est-ce pas* avec beaucoup de grâce. Elles sont décidément fort jolies en général. Mais il paraît que les plus belles sont celles de Bruges. Un stupide livre que j'ai acheté et qui s'intitule *Le Guide du voyageur en Belgique et en Hollande* appelle les femmes de Bruges *les Circassiennes de la Belgique*[47].

On vit assez bien dans les auberges, à la bière près. Pourtant ils ont la rage de mettre du sucre et de la farine dans tout. Vous demandez une omelette, résignez-vous à du flan.

A Tournai, comme à Bruxelles, comme à Anvers, comme à Gand, les modes de Paris, les marchandises de Paris, et même, on dirait, les marchands de Paris, s'étalent dans les boutiques qui, là aussi, s'appellent magasins.

Je me promenais le soir dans les rues croyant avoir devant les yeux les étincelantes devantures des boulevards parisiens. Les étranges maisons! Du XVIe siècle par le toit et de la rue Vivienne par la boutique; sombres et tragiques par une moitié, fades et

**Louis Titz,
vue d'Ypres,**
Collection du Crédit Communal.

bêtes par l'autre; le rez-de-chaussée lit le *Constitutionnel,* le grenier lit la Bible; en
bas c'est M. Ternaux, en haut c'est Philippe II; en bas le gaz rit et flamboie dans le
magasin à grandes vitres, levez les yeux et vous croirez voir trembler encore
confusément sur le vieux pignon le rouge reflet des bûchers du duc d'Albe.
Je faisais, moi, sur ces métamorphoses, cent réflexions amères qui te paraîtront
tragi-comiques. — C'est bien la peine d'être une maison du XVIᵉ siècle pour faire
une pareille fin! commencer par un fronton de la Renaissance et finir par une
boutique du Palais-Royal! être, près du ciel, un pignon taillé en escalier ou sculpté
en volutes et, près du ruisseau, un magasin de guingamps et de cotonnades! quelle
dégradation! comment a pu aboutir à quelque chose de si misérable une façade,
formosa superne?
Ceci, chère amie, est du latin d'Horace[48], qui échoit naturellement à Charlot.
Si ces réflexions se peignaient sur mon visage, elles devaient bien égayer les braves
bourgeois brabançons. Car, pour le bourgeois de tout pays, la boutique blanchie,
la grande vitre et le comptoir d'acajou sont un progrès. Passe pour les boutiques,
pourvu qu'on n'applique pas ce progrès aux églises. Or, elles ont déjà la vitre
blanche, la muraille blanche, j'attends un de ces matins l'autel d'acajou.
Le badigeonnage belge a trois nuances: le gris, le jaune et le blanc. Il est tricolore,
comme il convient à un Etat constitutionnel. Le blanc s'applique aux églises, le gris
aux hôtels de ville, le jaune aux maisons de campagne et aux édifices de fantaisie
où le Belge vient folâtrer le dimanche. Je voyais tout à l'heure en arrivant à Ypres,
à droite de la route, une façon de gros château qui avait l'air d'être taillé dans une
motte de beurre. Le propriétaire, un bon Flamand rond, l'admirait du milieu d'une
couche de concombres parmi lesquels sa grosse figure s'épanouissait.
Le trajet de Menin à Ypres est fort agréable. Ce sont partout de ces gracieux petits
enclos verts que les peintres flamands aiment tant. Et puis le chemin traverse un

**Victor Hugo,
près de Courtrai,**
mine de plomb,
8 octobre 1864.
*B.N. Ms. n.a.f. 13.345,
fol. 17. Cl. B.N.*

bois, et il est bordé çà et là de longues colonnades de ces beaux peupliers d'Italie dont l'écorce vous regarde passer avec de grands yeux. J'ai refait ce trajet au retour avec grand plaisir. Une route revue à l'envers, c'est presque une nouvelle route.

Ypres est une ville que j'aimerais habiter. On y trouve les maisons de bois mêlées aux maisons de brique. C'est une sorte de rencontre inattendue de la Flandre et de la Normandie.

L'Hôtel de ville est une merveille. C'est un édifice gigantesque qui tiendrait tout un côté de la place Royale et qui n'est pas moins grand par le style que par la masse[49]. Un charmant petit hôtel de la Renaissance s'accoude gracieusement à ce sévère palais du XIIIe siècle. L'église est fort belle, à étudier surtout[50]. Elle est pleine de sculptures de la Renaissance et j'y ai vu un *Saint-Martin* de Rubens qui est une chose prodigieuse[51]. Joins à cela cent maisons exquises dans la ville. Sur la façade de l'*Hôtel de la Châtellenie* où j'ai déjeuné, il y a sept figures en médaillons qui sont admirables et qui représentent avec les plus beaux traits humains du monde les sept astres observés au XVIe siècle: *Luna, Mercurius, Venus, Sol, Mars, Jupiter, Saturnus*[52]. A Ypres, comme dans toute la Belgique au reste, les maisons sont datées. J'aime cette mode. Sur une vieille façade, j'ai vu la date de 1616, ainsi écrite:

Cela m'a fait songer à l'année de la mort de Shakespeare.

Shakespeare est mort cette année-là, 1616, le 23 avril. Ce jour-là est mort aussi Michel Cervantes. Coïncidence remarquable! Dieu a soufflé à la même heure ces deux flambeaux; avec eux s'est éteinte, à l'aurore du XVIIe siècle, la dernière lueur du XVIe.

Il y a à Courtrai une magnifique érection de la croix de Van Dyck. Le clocher de l'église principale est beau, quoique coiffé en beffroi. Avec deux tours sur un pont, c'est tout ce que j'ai remarqué dans la ville.

Au moment où je t'écris ceci, on tambourine sur la place le manège du *sieur Alfred, premier écuyer de monsieur Franconi.* Te figures-tu ce que peut être de sa personne le *sieur Alfred, premier écuyer de monsieur Franconi?* — Je viens de faire un médiocre souper. Demain, chère amie, je repars pour Gand, car je veux revoir *Gand la superbe Espagnole,* qui a fait faire un beau vers à Boileau[53].

28. — 6 heures du soir. — Gand.

Me revoici à Gand, mon Adèle. Comprends-tu cela? il fait froid maintenant. Je gèle le 28 août, j'étouffais le 25. La transition est brusque et le climat bizarre.

Je viens de parcourir toute la ville, voyant et revoyant. La cathédrale (Saint-Bavon), dont je t'ai déjà parlé, a une crypte comparable à la crypte de Tournus que nous avons vue ensemble, tu t'en souviens peut-être. C'est un beau et noble souterrain. Van Eyck y est enterré[54]. J'y ai trouvé çà et là des tombes brisées et profanées au temps du duc d'Albe. Les soupiraux jettent sur ces tombes un jour blafard qui se charge de brume en passant sous les piliers trapus du XIe siècle. Comme les lucarnes se croisent, il y a autour de chaque pilier de longs rayonnements de lumière vague et de grandes roues d'ombre. L'effet est sinistre.

J'admirais dans la haute église de gigantesques flambeaux de cuivre de la Renaissance. On m'a conté leurs aventures. Ces flambeaux étaient dans la cathédrale de Saint-Paul de Londres avant l'incendie de 1666. Ils ont appartenu à Charles Ier, Cromwell les a vendus à un évêque de Gand. Que de réflexions là-dedans!

Gustave De Smet,
Gand, église Sainte-Anne.
Collection du Crédit Communal.

Leur église est brûlée, leur maître est mort, leur vendeur est mort, leur acheteur est mort; eux ils sont restés parce qu'ils sont beaux, et on ne les remarque que pour leur beauté. L'histoire passe, l'art reste.

L'art est comme la nature, simple et profond, un et divers. Fouillez et refouillez une cathédrale, c'est touffu comme un bois. Sous la forêt d'arbres il y a la forêt d'arbustes, sous la forêt d'arbustes la forêt d'herbes, sous la forêt d'herbes la forêt de mousses; à toutes les profondeurs vous trouvez des beautés, et vous admirez l'architecte, le poète, le Dieu.

Et puis pour l'art rien n'est laid, rien n'est impur, c'est ce qu'on n'a pas encore voulu comprendre de nos jours. Les objets de la nature les plus repoussants lui donnent des motifs admirables. Nous estimons une araignée chose hideuse, et nous sommes ravis de retrouver sa toile en rosace sur les façades des cathédrales, et son corps et ses pattes en clef de voûte dans les chapelles.

Gand est plein de maisons du plus beau goût. La plus remarquable est sur un quai. C'est une maison gothique de la dernière époque qui marque la transition du XVᵉ au XVIᵉ siècle. Un navire du temps est sculpté sur la porte[55]. Ainsi on peut retrouver sur l'église de Tournai la serrurerie du XIᵉ siècle, sur la maison de Gand la marine du XVIᵉ. L'art conserve tout.

En sortant de la ville par la porte d'Anvers, au milieu de quelques bastions de brique ruinés qui sont l'ancienne citadelle espagnole, on trouve les décombres de l'abbaye de Saint-Bavon. C'est un curieux débris, du XVᵉ et même du XVIIIᵉ siècle par un bout, roman et presque romain par l'autre. Il y a dans le mur de véritables *opus reticulatum*[56] à l'état barbare. Pardon, mon Adèle, demande ce que veut dire ce latin à ton père, qui sait tant de choses et qui les sait si bien. Charlot ne t'expliquerait pas ceci.

En creusant dans la salle derrière le cloître, on a mis à nu un fort beau pavé en mosaïque de terre cuite. J'y ai distingué des aigles, des coqs, des cerfs, des lions, force rinceaux byzantins, des hommes à cheval et jusqu'à des fleurs de lys, quelques-unes du temps de Charles VII, d'autres plus anciennes. — Du reste, pas de tombeaux[57]. — Il pousse dans l'enclos que font ces vieux murs écroulés des coquelicots doubles qui m'ont paru des fleurs bien civilisées pour un lieu si sauvage. J'en ai cueilli un que je t'envoie, mon Adèle bien-aimée.

Sais-tu qui a acheté ce cloître à la Révolution? Sais-tu qui l'a revendu pierre à pierre, morceau à morceau, plomb, fer, bois et brique? Sais-tu qui a dévasté, ruiné, démantelé, volé et dépouillé sous le ciel cette magnifique abbaye? C'est Maes, ce même vieux Maes dont je te parlais dans ma dernière lettre, cet homme assassiné il y a deux ans pour ses richesses, pour ses richesses mal acquises, ce vieil avare qui en amassant son trésor mal gagné amassait son châtiment. Mon guide, un homme quelconque qui demeure par là et qui exploite l'abbaye, m'avait dit en entrant que c'était ce Maes qui avait fait cette ruine. J'ai parcouru toute la dévastation en silence, sans répondre un mot au concierge, et puis tout à coup, après plus d'une heure d'examen, je me suis levé d'une pierre où je m'étais assis et je n'ai pu m'empêcher de dire à haute voix: «La providence est juste!» Mon guide, qui ne m'a entendu prononcer que ces quatre mots, a dû me prendre pour un fou.

Il y avait en 93 deux espèces de monstres, les uns tuaient les hommes, les autres les monuments; les uns voulaient du sang, les autres de l'or. Les premiers étaient féroces et souvent désintéressés, les seconds étaient cupides et toujours lâches.

Ce Maes était de cette dernière espèce, la plus méprisable à mon gré.

Ainsi ce misérable nous a pris à tous ce beau couvent pour se donner à lui, imbécile et inutile, la maison dont je t'ai parlé et que le maître lui a rudement reprise.

Dieu soit loué! il a écrasé cet homme sous son or.

Gand est encore tout plein de Charles-Quint. Ce don Carlos était fort libertin dans sa jeunesse, n'en déplaise aux contradicteurs de *Hernani*. Il paraît qu'il aimait particulièrement les jolies bouchères, car à Gand on appelle encore les bouchers *les enfants du prince.* C'est du reste toute une histoire. Quatre familles seules avaient de père en fils le droit de boucherie à Gand, les familles Van Melle, Vanloo, Minne et Deynoodt. Elles tenaient ce droit de Charles-Quint qui croyait avoir des rejetons dans ces familles. C'est une curieuse chose qu'un roi qui fait de ses bâtards des bouchers. Quelle bonne page bête et pâteuse Dulaure[58] eût faite là-dessus!

Ce matin, j'ai quitté Courtrai, qui en flamand s'appelle Kortrik. La route jusqu'à

Victor Hugo, moulin sur la route de Courtrai à Ypres, mine de plomb, 9 octobre 1864. *M.V.H. 29. Cl. M.V.H.*

Gand est, comme toutes les routes de la Belgique occidentale, une promenade en plaine avec un horizon de velours vert à droite et à gauche.

Entre Menin et Ypres on rencontre par intervalles des tas de briques qui rompent l'uniformité de la prairie et ont un certain air de ruines babyloniennes. Je ne les ai plus retrouvés sur la route de Gand. En revanche, dans ces environs-ci, les propriétaires des maisons de campagne font un énorme abus de bustes de magistrats du temps de Louis XIV. Ils les juchent sur les piliers de leurs portes en guise de lions. Remplacer des crinières par des perruques, c'est bien flamand. Cela se fait pourtant ailleurs qu'en Flandre.

J'ai trouvé ici des journaux. J'ai voulu les lire; ce sont les journaux du cru, ils sont tout tapissés de vers néerlandais. Cela est fort agréable à l'œil. On croirait voir des dessins de cailloux et de rocailles dans une grotte rococo. La grotte, c'est *Le Messager de Gand.*

Voici une lettre interminable, n'est-ce pas? Ecris-m'en de pareilles, et je serai heureux. Il faut pourtant finir, la poste part à neuf heures du soir. Adieu, mon Adèle bien-aimée, adieu, ma Didine, mon Charlot, et les autres, tous mes petits enfants bien-aimés. Je vous embrasse tous et je prie Dieu pour vous. Mes plus tendres amitiés à ton père.

Ton Victor.

Parle de moi à nos amis, à Louis, à Robelin, à Gautier, à Granier, Masson, Brindeau, à tous.

Je serai demain à Bruges.

Ostende - Furnes - Bruges

Furnes, 31 août, 7 h. 30 du soir.

J'ai sous les yeux en commençant cette lettre, chère amie, une des plus jolies places que j'aie encore vues; vis-à-vis de moi un noble hôtel de ville de la Renaissance dont le beffroi est gothique, quoique gâté à son sommet par une balustrade à mollets; à gauche plusieurs logis de divers styles fort bien contrastés; en face, à côté de l'hôtel de ville, quatre ou cinq gracieux pignons du XVIᵉ siècle au-dessus desquels se découpe dans le crépuscule le profil d'une nef gothique; enfin, à droite, une belle embouchure de rue ourlée d'un côté d'un petit châtelet fort sévère et fort curieux, de l'autre d'un élégant fronton espagnol à rocailles accouplé à plusieurs autres; le tout dominé par une superbe flèche toute en briques qui est d'une ligne magnifique. Ajoute à ces trois façades mon côté que je ne vois pas et qui les complète, mets au milieu un fort beau pavé à compartiments de couleur, immense mosaïque qui tient toute la place, et tu comprendras, mon Adèle, que si tu y étais et les enfants avec toi, la place de Furnes n'aurait rien à envier à la place Royale. J'arrive d'Ostende. Il n'y a rien à Ostende, pas même des huîtres. C'est-à-dire, il y a la mer, et je suis un ingrat de parler d'Ostende comme je fais. Je suis d'autant plus ingrat que j'ai été à Ostende l'objet de toutes sortes de faveurs spéciales de la part de la mer et de la part du ciel. D'abord, comme j'entrais à Ostende, il avait plu toute la matinée, la pluie a brusquement cessé, les nuages se sont envolés, le soleil s'est mis à sécher la grève en diligence, et j'ai pu me promener deux bonnes heures au bord de la mer à la marée descendante. — Hélas! pas un pauvre coquillage,

James Ensor,
Ostende,
la Musique rue de Flandre.
Collection du Crédit Communal.

mon Toto! Rien que le sable le plus doux et le plus fin du monde.

Je suis charmé d'avoir vu les dunes. C'est moins beau que les granits de Bretagne et que les falaises de Normandie, mais c'est fort beau encore. La mer ici n'est plus furieuse, elle est triste. C'est une autre espèce de grandeur. Le soir, les dunes font à l'horizon une silhouette tourmentée et pourtant sévère. C'est, à côté des vagues éternellement remuées, une barrière éternelle de vagues immobiles.

C'est en se promenant sur les dunes qu'on sent bien l'harmonie profonde qui lie jusque dans la forme la terre à l'océan; l'océan est une plaine, en effet, et la terre est une mer. Les collines et les vallons ondulent comme des vagues, et les chaînes de montagnes sont des tempêtes pétrifiées.

Je ne cherchais pas de transition, mais puisqu'en voici une, je la prends. Hier au soir, chère amie, j'ai vu une tempête, ou, pour mieux dire, un gros orage, car, nous autres gens de la terre ferme, nous ne nous figurons pas une tempête sans navire en détresse et sans naufrage. Quoi qu'il en soit, tempête ou orage, c'était admirable. J'étais rentré pour dîner à l'*Hôtel du Lion d'or,* où l'on dîne mal par parenthèse, quand j'ai entendu un bruit de tonnerre éloigné. Alors j'ai jeté là ma serviette, et j'ai couru à la mer.

Au moment où j'arrivais sur la levée, quoiqu'il ne fût pas sept heures du soir, il y faisait nuit. En quelques instants une nuée énorme, que de temps en temps un coup de tonnerre faisait voir comme doublée de cuivre rouge, avait rempli le ciel.

Je m'avançai fort loin sur la levée. J'étais seul, le phare s'allumait silencieusement derrière moi, quelques gouttes de pluie commençaient à tomber, le vent soufflait si furieusement que parfois j'avais peine à marcher. Je songeais à deux voiles que j'avais longtemps suivies des yeux deux heures auparavant. Ces deux voiles m'avaient paru alors une chose charmante, elles me paraissaient maintenant une chose terrible.

Au bout de quelques moments, je m'arrêtai, je ne sais pourquoi, car il n'y avait aucun danger, mais je n'étais pas sans une secrète épouvante. La pluie tombait alors par tourbillons, le vent soufflait comme par sanglots, tantôt baissant, tantôt redoublant. Je ne voyais plus rien devant moi, sous mes pieds et sur ma tête, qu'un gouffre d'un noir d'encre d'où sortait un bruit effrayant.

Dans ce gouffre resplendissait par moments, tout à coup, une mer de feu qui dessinait vivement de son écume de braise toutes les échancrures d'une côte sombre et déchirée. Cette vision apparaissait et disparaissait comme un éclair; c'était un éclair en effet.

En ces instants-là, j'entendais au-dessus de moi le tonnerre crouler de nuée en nuée comme une poutre qui tomberait du toit du ciel à travers les mille étages d'une charpente gigantesque.

Comme mes yeux sont malades, je tournais le dos aux éclairs. Une fois pourtant, je me suis retourné, et j'ai vu distinctement la flèche livide de la foudre.

Il n'y avait plus rien pour moi dans cet immense tumulte qui rappelât le souvenir du ciel et de la terre que nous voyons et de la vie réelle, si ce n'est la ligne froide et géométrique de la jetée vaguement éclairée par ce reflet blafard et sinistre propre aux grandes pluies, et tout à côté de moi un grand poteau indicateur sur lequel chaque éclair me faisait lire cette inscription: *Bain des dames.*

J'ai cherché mes deux voiles dans ce chaos, mais heureusement je ne les ai revues dans aucun éclair.

La nuée a passé sur la ville pendant une heure, puis elle s'est enfoncée à l'horizon et le ciel blanc du crépuscule a reparu. J'ai regardé quelque temps encore courir rapidement sur ce fond livide de grands nuages noirs, mais déchargés, qui allaient échouer sur la grosse nuée comme sur un écueil.

Ce matin, le ciel, qui me fait fête comme tu vois, m'a redonné le soleil et je me suis promené sur les dunes, que l'on croirait au premier coup d'œil couvertes de blé; on regarde, ce n'est que de l'ivraie en pleine prospérité, imitant le blé comme le singe imite l'homme, comme le frelon imite l'abeille, comme la parodie imite l'œuvre, comme le critique imite le poète, comme l'hypocrite imite le juste.

C'est une loi éternelle; ce qui cherche à vous nuire cherche aussi à vous ressembler. Je t'ai dit qu'on dînait mal au *Lion d'or.* Si vous voulez manger du veau, allez dans les ports de mer. Pas de poisson à Ostende, pas de crevettes, surtout pas d'huîtres, bien entendu. Au demeurant les huîtres d'Ostende ne sont que des huîtres anglaises qu'on apporte à Ostende pour les y engraisser, comme on porte à Marennes les huîtres de Cancale. A Ostende il n'y a pas de bancs d'huîtres, il n'y a que des parcs. Vers midi, comme il faisait beau, on se baignait quand j'étais sur la levée. Les hommes et les femmes se baignaient pêle-mêle, les hommes en caleçon, les femmes en peignoir. Ce peignoir est une simple chemise d'étoffe de laine fort légère qui descend jusqu'à la cheville, mais qui, mouillée, est fort collante, et que la vague relève souvent. Il y avait une jeune femme qui était fort belle ainsi, trop belle peut-être. Par moments c'était comme une de ces statues antiques de bronze avec une tunique à petits plis. Ainsi entourée d'écume, cette belle créature était tout à fait mythologique.

Bruges, où j'ai passé un jour avant d'arriver à Ostende, est une superbe ville, moitié allemande, moitié espagnole. On l'appelle *Bruges* à cause de ses ponts (*Brug,* en flamand)[59] comme on appelle la ville de ton père Nantes à cause de ses cours d'eau (les cent bras de la Loire), *nant* en celte. T'en souviens-tu, chère amie? nous avons retrouvé ce mot bas-breton en Suisse. On ne dit pas un *torrent,* on dit un *nant.*

Les gens de Bruges sont en train de fort malmener leur clocher qui est un obélisque de brique du XIVᵉ siècle, du plus grand style par conséquent. Ils ont déjà coupé la pointe qu'ils ont remplacée par un hideux petit toit, rond, plat et bête. Suppose un pape à qui l'on a ôté sa tiare pour lui mettre une casquette. Voilà le clocher de Bruges maintenant.

En revanche, la tour du beffroi est complète. Elle est du même temps, et admirable, mi-partie en brique et en pierre. La brique a parfois des tons rouillés qui sont magnifiques. Ils en tirent grand parti en Flandre. Ils font en brique jusqu'à des coquilles, jusqu'à des meneaux d'une délicatesse parfaite. Il faut convenir que les Flamands tripotent mieux la brique que les Bretons ne tripotent le granit. Je veux toujours parler des vieux architectes, car à présent on ne tire parti de rien; en brique comme en granit on ne fait que des sottises.

Il y a aussi à Bruges force belles maisons à pignons; mais toujours hideusement badigeonnées. Il en est de même de l'intérieur des églises; tout y est blanc dur et noir cru, le tout pour la jubilation des curés, sacristains et vicaires. Il y a longtemps que je l'ai dit, le premier ennemi des églises, c'est le prêtre.

Par exemple, ils ont une sublime statue de Michel-Ange[60], un des prodiges de l'art; ils la cachent derrière un énorme crucifix. Pour trente sous j'ai fait ôter le crucifix, car pour trente sous on fait bien des choses chez ces braves bedeaux belges, et le

**James Ensor,
les toits à Ostende.**
Collection du Crédit Communal.

crucifix n'a peut-être pas d'autre but.

C'est un chef-d'œuvre miraculeux que cette statue. La tête de la Vierge est ineffable. Elle regarde son enfant avec une douleur fière que je n'ai vue qu'à cette tête et à ce regard. Quant à l'enfant, avec son grand front, ses yeux profonds et la puissante moue que font ses petites lèvres, c'est bien le plus divin enfant qui soit. Napoléon, qui avait dû ressembler à cet enfant-là, l'avait fait transporter à Paris. On l'a repris en 1815, et dans le trajet on a cassé, je devrais dire déchiré, un coin du voile de la Vierge.

Michel-Ange est dans cette église[61]. Rubens, Van Dyck et Porbus y sont aussi. Ils ont laissé là, l'un une *Adoration des Mages*[62], l'autre un *Mariage mystique de sainte Rosalie*[63], le troisième une *Sainte-Cène*[64]. Je suis resté longtemps comme agenouillé devant ces chefs-d'œuvre. Je crois que c'est là ce que les protestants appellent de l'idolâtrie. Idolâtrie, soit.

Ce n'est pas tout, car cette église est riche, et je n'ai pas gardé le moindre pour la fin. Le tombeau de Charles le Téméraire et celui de sa fille Marie de Bourgogne sont là, dans une chapelle. Figure-toi deux monuments en airain doré et en pierre de touche. La pierre de touche ressemble au plus beau marbre noir, avec quelque chose de plus souple à l'œil et de plus harmonieux. Chaque tombeau a sa statue couchée qui paraît toute d'or, et sur les autres faces des blasons, des figures et des arabesques sans nombre. La tombe de la duchesse Marie est du XVe siècle, celle de Charles est du XVIe. Le corps du duc fut transporté de Nancy à Bruges par Charles-Quint, cet empereur prudent, fils de Jeanne la Folle et petit-neveu de Charles le Téméraire.

Rien de plus magnifique que ces deux tombes, celle de Marie surtout. Ce sont d'énormes bijoux. Les blasons sont en émail. Aux pieds du duc il y a un lion, aux pieds de Marie deux chiens dont l'un semble gronder de ce qu'on approche sa maîtresse. C'est une chose surprenante, aux quatre faces du monument, que cette forêt d'arabesques d'or sur fond noir avec des anges pour oiseaux et des blasons pour fruits et pour fleurs.

Napoléon a visité ces tombes. Il a donné dix mille francs pour les restaurer et mille francs à l'honnête bourgeois qui les avait enterrées et sauvées pendant la Révolution. Il paraît qu'il est resté longtemps, *pensif,* m'a dit le vieux sacristain, dans cette chapelle. C'était en 1811. Il a pu lire sur le devant du tombeau de Charles de Bourgogne sa devise: *Je l'ai empris, bien en avienne*; et au revers, dans l'épitaphe, il a pu lire aussi cette phrase: «lequel prospera longtems en hautes entreprises, batailles et victoires… jusques à ce que fortune lui tournant le doz l'oppressa la nuist des Roys 1476, devant Nancy.» L'empereur rêvait alors Moscou.

Il n'a pas fait porter ces tombes à Paris.

Ces tombeaux sont traités comme Michel-Ange. La fabrique les a fait couvrir d'une ignoble boiserie qui imite le catafalque du Père-Lachaise et dont M. Godde le Parisien serait jaloux. Vous voulez voir les tombes, payez. C'est pour l'entretien, c'est-à-dire le badigeonnage de l'église. Pauvre église! ainsi, ces tombes, son joyau, ces tombes qui devraient la parer magnifiquement, servent à l'enlaidir.

O marguilliers!

C'est dans cette église que Philippe le Bon institua la Toison d'or. Ils montrent une ravissante tribune du XVe siècle, affreusement engluée comme le reste, d'où furent déclarés, disent-ils, les premiers chevaliers. J'en doute, car le style fleuri de cette tribune la fait contemporaine de notre Charles VIII. Et en Flandre ils ont toujours été plutôt en retard qu'en avant. Ils faisaient encore des ogives au temps de Henri IV.

Maintenant, chère amie, quand je t'aurai dit que la dorure de chacune des deux tombes a coûté vingt-quatre mille ducats d'or, somme énorme pour le temps, et que le carillon du beffroi passe pour le plus beau carillon de la Belgique, j'aurai épuisé tout ce que j'ai à te dire de Bruges. Il y a encore une vieille abbaye en ruine, mais je n'ai pas eu le temps de la visiter. Ce sera pour le jour où nous verrons tout cela ensemble, mon Adèle.

Du reste, à partir du XVIIe siècle, l'architecture et la sculpture prennent en Flandre quelque chose de plus massif que partout ailleurs. Les volutes sont lourdes, les statues ont du ventre, les anges ne sont pas joufflus, ils sont bouffis. Tout cela a bu de la bière.

1er septembre, 9 heures du matin.

Je me dépêche d'achever ma lettre. C'est aujourd'hui que je rentre en France, je serai à Dunkerque, j'aurai tes lettres. Ce sera une vive joie, car j'espère que vous êtes tous bien portants et heureux.

C'est aussi aujourd'hui que je verrai ce qui adviendra du petit volume contrefait que j'emporte traîtreusement dans mon portefeuille. Je t'informerai de l'aventure.

Je t'ai peu parlé de la contrefaçon, parce que c'est ennuyeux, mais ce n'en est pas moins déplorable[65]. Seulement en regardant aux vitres des boutiques, j'ai compté cinq contrefaçons différentes des *Voix intérieures*: une en grand in-8°, sur deux colonnes, deux in-18, l'une publiée par Méline, l'autre par la société dite *pour la propagation des bons livres,* deux in-32, dont l'édition de Laurent que j'emporte.

Au demeurant, Bruxelles est bien la ville de la contrefaçon. Il y a des *gamins* comme à Paris; le fronton grec de sa Chambre des Etats ressemble au fronton grec de notre Chambre des Députés; le ruban amarante de Léopold est une contrefaçon de la

Emile Van Doren,
Bruges, quai de la Main d'Or.
Collection du Crédit Communal.

Légion d'honneur; les deux tours carrées de Sainte-Gudule, belles d'ailleurs, ont un faux air de Notre-Dame. Enfin, par un malencontreux hasard, la petite rivière qui passe à Bruxelles s'appelle, pas tout à fait la Seine, mais la *Senne.*

Voilà encore cette fois un volume, chère amie. Pardonne-le-moi et aime-moi.

Dis à ma Didine que je compte lui écrire la prochaine fois. Serre la main de ma part à notre père et embrasse nos chers petits qui doivent s'amuser maintenant, j'espère. Fais aussi toutes mes amitiés à notre bon Châtillon que je crois avoir oublié dans ma dernière lettre.

Je t'embrasse mille fois.

A propos, je n'ai pas vu à Bruges une seule Circassienne.

Les dunes

Cinq heures du soir, 1ᵉʳ septembre,
Dunkerque.

Chère amie, je suis à Dunkerque et je n'ai pas encore tes lettres. Je suis arrivé, le bureau des lettres restantes était fermé, il ne s'ouvrira que dans deux heures. Juge de mon impatience. Pour tromper cet ennui dont je suis plein, je t'écris. Ce sera une autre manière de m'occuper de toi, moins charmante pour moi, mais aussi douce.

Mes aventures ont commencé ce matin. Depuis Gand (ma dernière apparition à Gand, cela va sans dire) je faisais route dans une manière de cabriolet-coucou dont le cocher, pauvre diable de Picard laissé à Gand par des Anglais, était charmé de s'en revenir en France avec un voyageur. Moi, la chose m'accommodait au mieux. Les diligences et la poste vont trop vite; les petites journées, les lents voyages, les chemins de traverse, les itinéraires improvisés par la fantaisie, selon l'église ou la tour qu'on aperçoit à l'horizon, voilà ce qu'il me faut. Je fais aussi, moi, ma course au clocher mais à ma façon.

Je cheminais donc paisiblement avec mon cocher picard, espèce de personnage grotesque assez amusant, dont je te parlerai peut-être plus au long si le papier ne me manque pas un beau jour comme la terre à Regnard dans son voyage de Laponie. Je comptais bien rentrer en France *en cet équipage,* mais à Furnes, je ne sais quel accident est arrivé au coucou qui exigeait un grand jour de réparation. J'avais trop hâte d'être à Dunkerque pour attendre. Je me suis décidé à quitter mon Picard et à chercher place dans la redoutable patache que les naturels du pays appellent *diligence,* car il n'y a pas encore de grande route entre Furnes et Dunkerque; on la fait en ce moment. — Autre événement. «La diligence» était pleine. Aucun moyen d'y pénétrer. Le cabriolet était envahi, et les six places de l'intérieur occupées par six derrières flamands des mieux conditionnés. Comment faire? On m'offrait bien une vieille chaise pour courir la poste; mais, pour *courir la poste,* il faut deux choses, une chaise d'abord, un chemin ensuite; la chaise était bien là, mais on ne pouvait m'achever le chemin que dans deux mois. Or, en regardant l'horrible enchevêtrement de fondrières, de ravins, de mares, de puits et de pièges à loup qu'ils appellent en ce moment la route, on ne peut comprendre comment cette phrase magnifique: *courir la poste,* a pu germer dans un pareil sillon.

Mon parti a été bientôt pris. Je ne demandais pas mieux que de marcher, il n'y a que sept lieues de Furnes à Dunkerque par les dunes. Je me suis résolu à les faire à pied. Il le fallait d'abord, et puis je devais avoir constamment la mer sous les yeux, et puis mon harnais de coutil, trempé par l'orage d'Ostende, ayant grand besoin pour se sécher complètement d'un souffle de vent et d'un rayon de soleil. Enfin ce n'est rien que sept lieues. J'ai donc confié mon petit bagage au conducteur afin de m'alléger d'autant. Ici, autre incident.

La diligence pleine de voyageurs était en même temps gonflée de paquets. La bâche de cuir, bouclée sur l'impériale, contenait à grand'peine un énorme ventre d'effets et faisait effort comme le gilet d'un bourgmestre. C'est donc *dans* la diligence qu'il fallait insérer mon paquet. Le conducteur se risque à le glisser timidement dans le cabriolet. Sur ce, une grande dame réclame, une grande dame sèche, maigre, laide, coquette, vêtue de puce en marveillante, laquelle avait quelque chose d'indéfinissable dans le regard et d'indéfrisable dans le tour.

Cette respectable voyageuse soutenait qu'elle avait des jambes que ce paquet gênait et molestait. Cris dans la diligence. Un monsieur soutient la dame.

Un monsieur rouge et galant, en pantalon couleur amadou, boutonné et décolleté, en redingote d'hiver et en cravate d'été, ayant quelque chose de Colin et je ne sais quoi de Pierre le Grand. Ce mélange de tartarie et de bergerie lui donnait des droits sur le cœur de la dame et n'était pas sans grâce dans le cabriolet de la patache.

Et puis il y avait une secrète affinité entre ce pantalon amadou et les jambes de la voyageuse. Il ne manquait qu'un briquet. Qui sait? c'est peut-être mon paquet qui en a fait l'office. Ce qui est certain, c'est que l'étincelle a jailli.

Ils ont fait rage, les braves gens. Mais le conducteur a tenu bon. La pièce de trente sous, qui amollit les bedeaux, endurcit les conducteurs. Mon paquet s'est maintenu triomphalement sous les pieds de tout le monde, et la grande dame indéfrisable a dû se résigner, avec une rougeur pudique, à avoir des chemises d'homme entre les jambes.

J'ai assisté à cette scène orageuse avec impassibilité. J'étais sûr des vertus de ma pièce de trente sous; et la bonne dame ne se doutait pas que j'avais employé ce moyen machiavélique pour mener à bien mon intrigue.

Enfin, ils se sont mis en route de leur côté, et moi du mien.

J'ai été cinq heures à faire les sept lieues. Parti de Furnes à dix heures et demie du matin, je suis arrivé à Dunkerque à quatre heures et demie, et je me suis arrêté une heure en route. J'ai fait là, vraiment, une admirable promenade, sur le sable, entre deux marées, par un beau temps de nuée et de soleil.

Devant moi et derrière moi les dunes se fondaient dans les brumes de l'horizon avec les nuages dont elles ont la forme. La mer était parfaitement gaie et calme, et l'écume des vagues, blanche et pailletée au soleil, faisait tout le long du rivage comme une frange de vermicelles et de chicorées cent fois plus délicatement sculptées que tous les plafonds maniérés du XVIIIe siècle. Quand la mer veut faire du rococo, elle y excelle. Les architectes Pompadour lui ont pillé ses coquillages.

De temps en temps une mouette blanche passait, ou bien un grand cormoran qui nageait puissamment dans l'air avec ses ailes grises à pointes noires. Et puis au loin il y avait des voiles, de toute forme, de toute grandeur, de toute complication, les unes éclatantes de blancheur sur les obscurs bancs de nuées de l'horizon, les autres sombres sur les clairs du ciel. Quelques-unes sont venues complaisamment passer tout près de moi, côtoyant la dune avec une douce brise qui les enflait mollement et m'apportait les voix des matelots.

C'était, dans la solitude où j'étais, de ravissantes apparitions que ces belles voiles si bien coupées, si bien étagées, si bien modelées par le vent, si bien peintes par le soleil, et j'admirais qu'on pût faire quelque chose d'aussi charmant, d'aussi fin, d'aussi gracieux, d'aussi délicat, avec de la toile à torchon.

Quelquefois je me tournais vers la terre, qui était belle aussi. Les grandes prairies, les clochers, les arbres, la mosaïque des champs labourés, la coupure droite et argentée d'un canal où glissaient lentement d'autres voiles, le bêlement des vaches qu'on voyait au loin, sur le pré, comme des pucerons sur une feuille, le bruit des charrettes sur la route qu'on ne voyait pas, tout m'arrivait à la fois, aux yeux, aux oreilles et à l'esprit. Et puis, je me retournais, et j'avais l'océan. C'est une belle chose qu'un pareil paysage doublé par la mer.

Par moments je rencontrais un pauvre toit de chaume dont la cheminée, ébréchée par les grands vents, fumait entre les dunes, et puis un groupe d'enfants qui jouaient. Car c'est un des côtés charmants du voyage dans cette saison.

A la porte de chaque chaumière il y a un enfant. Un enfant debout, couché, accroupi, endimanché, tout nu, lavé ou barbouillé, pétrissant la terre, pataugeant dans la mare, quelquefois riant, quelquefois pleurant, toujours exquis.

Je songe parfois avec tristesse que toutes ces délicieuses petites créatures feront un jour d'assez laids paysans. Cela tient à ce que c'est Dieu qui les commence et l'homme qui les achève.

L'autre jour, c'était charmant. Figure-toi cela, chère amie. Il y avait, sur le seuil d'une masure, un petit qui tenait ses deux sabots dans ses deux mains et me regardait passer avec de beaux grands yeux étonnés. Tout à côté il y en avait un autre, une petite fille grande comme Dédé, qui portait dans ses bras un gros garçon de dix-huit mois, lequel serrait dans les siens une poupée. Trois étages. En tout, trente-deux pouces de haut.

Tout cela rit et joue au soleil, et réjouit l'âme du voyageur.

Tu comprends, mon Adèle, que mon voyage sur les dunes ne m'a pas ennuyé. J'allais ainsi, regardant et songeant, montant et descendant sans cesse, les talons enfouis dans le sable, arrachant de temps en temps un épi d'ivraie quand il n'y avait ni maison dans la dune ni voile en mer. Tout en rêvant ainsi, à tout et à rien, je me suis figuré que la grande dame qui ne voulait pas de mon paquet était madame Trollope faisant son voyage de Belgique.

Deux navires ont passé assez près de moi pour que j'aie pu lire leur estampille. C'est *La Persévérance* de Dunkerque et le chasse-marée C. 76.

Je marchais depuis deux heures environ, lorsque tout à coup j'ai vu à ma gauche un pauvre amas de chaumière et dans la dune même une sorte de masure ouverte dont la façade portait cette inscription: EPISSERIE ET LEQUIDES. J'ai reconnu la France.

Notes de Marie-Louise Goffin

1. En France, les vitraux sont gothiques, pour la plupart. Les plus anciens datent du milieu du XIIe siècle. «Le vitrail est fait d'une multitude de morceaux de verre teints dans la masse, [...] réunis par des plombs coulés au moule, qui cerneront les traits des figures et isoleront les divers tons» (*Nouvelle Histoire universelle de l'art,* publiée sous la direction de Marcel Aubert, t. Ier, p. 369).
Les vitraux de l'église Sainte-Gudule datent de la Renaissance (XVIe s.) et de l'époque moderne.

2. «Henri-François Verbruggen (1655-1724). Sa chaire de Sainte-Gudule, exécutée de 1699 à 1702 pour les Jésuites de Louvain, est une œuvre typique pour les conceptions baroques du moment» (Paul Fierens, *L'Art en Belgique,* éd. La Renaissance du Livre, p. 278).

3. Il y a quatre peintres de ce nom:
— Noël (1628-1707), père d'Antoine et de Noël-Nicolas;
— Antoine (Paris, 1661-1722), le plus célèbre des peintres de cette famille. Œuvre considérable: dix-neuf tableaux au Musée du Louvre, dont son *Portrait, Athalie chassée du temple, Suzanne accusée par les vieillards*;
— Charles-Antoine (1694-1752), fils du précédent;
— Noël-Nicolas (1690-1734).

4. Construite non au XIVe siècle, mais au XVe et au XVIe siècle.

5. Le badigeon à Sainte-Gudule a, depuis, été enlevé.

6. L'Hôtel de ville était dans un état déplorable. La restauration ne fut commencée que vers 1840 (G. Des Marez, *Guide illustré de Bruxelles,* t. Ier, *Les Monuments civils*).

7. Ces maisons de style italo-flamand, construites au lendemain du bombardement de 1695, se détériorèrent assez rapidement dans le courant du XVIIIe siècle. Plus tard, «devenues bien national, les maisons corporatives furent vendues. Leurs nouveaux propriétaires, peu soucieux de leur conservation, les laissèrent tomber graduellement en ruine, supprimèrent sous prétexte d'économie les ornements qui les caractérisaient et même n'hésitèrent pas à en modifier l'aspect primitif» (Ce sont là probablement les modernes cuistres de Hugo).

8. Le beffroi, la tour de l'Hôtel de ville et celle de l'église Sainte-Elisabeth.

9. En réalité, c'est le choc de la Flandre et de l'Italie. C'est du XVIIe siècle, de l'époque espagnole que datent ces monuments et la plupart des vieilles façades. «On parla de *pignon espagnol,* de *fenêtre espagnole,* de *briques espagnoles* alors qu'en réalité, il n'y avait, ni dans les matériaux employés, ni dans l'architecture usitée, absolument rien d'espagnol» (Des Marez, *Traité d'architecture dans son application aux monuments de Bruxelles,* éd. Touring-Club de Belgique, p. 234).

10. Beffroi en style baroque du XVIIe siècle.

11. Victor Hugo n'a établi aucune distinction entre Flamands et Wallons. Pour lui, un Belge, c'est un Flamand, ou un habitant des Flandres. Cette méprise fut courante au XVIe siècle, et le demeura jusqu'à la fin de l'Ancien Régime (A Madrid, sous Philippe II, existait un Conseil suprême de Flandre dont la compétence s'étendait à toute la Belgique). Au XIXe siècle, elle était plus rare.

12. «Il reviendra sur cette impression; il effacera *les magots flamands,* probablement dus à une mauvaise humeur du voyageur; il biffera la *chanson chinoise* dans les vers *Sur la vitre d'une maison flamande*» (A. Bellessort, *op. cit.,* p. 120).

13. «Après la réunion de la Belgique à la Hollande, un des premiers soins du roi Guillaume, en exécution de la mission que le Congrès de Vienne lui avait confiée, fut de relever les fortifications et d'en faire le principal ouvrage de défense des Pays-Bas contre la France. Les murs furent reconstruits à leur emplacement même, ainsi que les tours et les bastions; les portes furent démolies et remplacées par d'autres, à l'exception toutefois de la porte du Porc, qui fut conservée et restaurée. Enfin, de nouveaux travaux furent disposés autour des remparts. Le tout était terminé en 1822» (*Mons,* par Paul Faider et Henri Delanney, 1928, pp. 41 et 42). Victor Hugo attribue les fortifications aux Anglais parce que la diplomatie anglaise a inspiré les dispositions du traité de Vienne (1815) qui étaient dirigées contre la France.

14. *Flandre.* Voir note 11 ci-dessus.

15. Paul Potter (1625-1654), peintre hollandais d'animaux et de paysages.

16. Citer Teniers à propos des campagnes hennuyères peut surprendre. Hugo songe surtout au cabaret plein de buveurs, sujet cher à Teniers.

17. Eglise Saint-Pierre.

18. Eglise métropolitaine de Saint-Rumold ou Rombaut: les multiples couches de badigeon qui couvraient les murs de cet édifice ont été enlevées en 1850.

19. *L'Adoration des Mages,* à l'église Saint-Jean, et *La Pêche miraculeuse,* à Notre-Dame, au-delà de la Dyle.

20. Rubens n'a dessiné la façade d'aucune des maisons proches de l'Hôtel de ville; ces façades ne sont pas de style rubénien, mais elles ont été indirectement influencées par les idées de Rubens en architecture. La maison de Rubens (située assez loin de là) est la seule qui ait été construite d'après ses propres plans. (D'après *L'Architecture et la Sculpture baroques,* par A.-J. J. DELEN, dans *L'Art en Belgique,* éd. La Renaissance du livre, p. 269.)

21. Le premier chemin de fer «public» établi en Europe, avait été inauguré le 5 mai 1835 entre Bruxelles et Malines; il avait été prolongé jusqu'à Anvers en 1836.

22. Pour beaucoup de spectateurs, le fonctionnement et la puissance de la locomotive avaient quelque chose de mystérieux (U. LAMALLE, *Histoire des Chemins de fer belges,* p. 27. Office de Publicité, Bruxelles, 1943).

23. Louis Boulanger, peintre français (1806-1867), protégé par Victor Hugo dont il illustra plusieurs œuvres.

24. L'église Saint-Charles Borromée: la tradition suivant laquelle Rubens serait l'auteur des plans de cette église ne repose sur aucun fondement. Son intervention s'est bornée à des projets décoratifs, notamment pour le maître-autel et les plafonds (*Promenades artistiques et pittoresques à Anvers,* par Oda VAN DE CASTYNE, p. 72).

Il est permis d'admettre que Rubens a collaboré à la décoration de la façade conçue, sinon d'après ses indications directes, sinon d'après ses dessins et croquis, du moins sous son influence (*L'Architecture et la Sculpture baroques,* par A.-J. J. DELEN, *op. cit.,* p. 262).

25. Dans le transept droit, *La Descente de Croix* (1614); dans le chœur, *L'Assomption* (1626); dans le transept gauche, *L'Elévation de la Croix* (1610).

26. *Les Noces de Cana,* dans le transept droit. Martin de Vos (1532-1603) séjourna dix ans en Italie, où il fut l'élève de Tintoret.

27. *La Cène,* dans le transept droit; une *Sainte-Face,* peinte sur marbre blanc, qui se trouve dans le bas-côté gauche, lui est attribuée. Otto Venius (1556-1634) fut un des maîtres de Rubens.

28. *Pieta,* d'après Van Dyck, dans la chapelle de Saint-Joseph.

29. Le buffet de l'orgue est orné d'une statue de sainte Cécile due à Pierre Verbruggen (1609-1687).

30. Louis Willemsens (1630-1702) a représenté à l'autel d'une des chapelles la vendage du vin sacré et la moisson du grain divin.

31. Josse de Backer.

32. La Maison des Tanneurs, dite la Tourelle des Agneliers (Toreken), et l'ancien Tooghuis, des fenêtres duquel les comtes de Flandre juraient au peuple assemblé d'observer ses privilèges. L'entrée monumentale de cette maison a seule été respectée. (*Promenades à travers Gand,* par Oda VAN DE CASTYNE, p. 61.)

33. La belle église des Dominicains (XIIIᵉ siècle), qui s'élevait le long de la rue de ce nom, Predikheerenstraat, a été démolie en 1860. (*Gand. Guide illustré* publié sous les auspices de la Commission locale des monuments. Ed. A. Vander Haeghen.)

34. L'une, celle du temps de Louis XIII, en style Renaissance, est lourde et répond à un souci d'ordre; l'autre, du temps de Charles VIII, est en gothique fleuri.

35. Cette fontaine, construite grâce à une somme d'argent octroyée par Louis XIV, se trouve sur la place devant l'Hôtel de ville. On l'appelle la Fontaine royale, à cause de son origine.

36. Notre-Dame de Pamele.

37. Reproduit en hors-texte.

38. *La Conversion de saint Bavon* représente saint Bavon reçu par l'évêque saint Amand.

39. *L'Adoration de l'Agneau mystique.*

40. Le triptyque de G. Van der Meire, en face de l'autel.

41. *La Résurrection de Lazare* d'Otto Venius.

42. Au XVIIᵉ siècle, «Dans une constante recherche de l'effet, les anciens jubés cachant le chœur sont remplacés par des balustrades afin d'exposer aux regards éblouis de tous les fidèles, dans une mise en scène parfaite, l'autel où, dans les fumées de l'encens, triomphe l'Eucharistie» (*L'Architecture et la Sculpture baroques,* par A.-J. J. DELEN, *op. cit.,* p. 257).

43. Cette étymologie est fantaisiste. Le nom «Tournai» existait avant la construction de la cathédrale: [IVᵉ siècle Turnacum, 409 Tornacus, VIᵉ siècle Thornaco, 1302 Dorneke. — Vincent.] «Ce nom antique est certainement pré-germanique. On le retrouve dans toute la Gaule: *Torne, Turny, Tourny* (Kaspers 292), sans parler des composés celtiques: *Tornomagos, Tornodurum.* J. Loth a montré que beaucoup de ces endroits se trouvent sur des hauteurs (au moins relatives). Il en conclut que le sens de «mamelon, butte» est fort probable. Nous le reconnaissons, tout en confessant que l'on ne voit pas clairement de quel mot celtique ce terme serait dérivé. Il est de fait, pourtant, que *turno-,* avec le sens de «butte, fortin», se trouve dans *Le Thour* (Ard.) [868 Turnus, villa regia. — Roland] ainsi que dans divers: Le Thor, cités par Vincent et Vannerus. L'origine la plus probable de «turnus» serait, dès lors, selon nous, une contamination entre le celtique *duro-, durono-, durno-,* «fortin, motte» et les mots latins *turris,* tour, et *toro, toronus* (Ducange, s. v.) *collis cacuminatus et rotundus...*» (Albert CARNOY, *Dictionnaire étymologique du nom des communes de Belgique,* Louvain, Editions Universitas, 1939).

44. Notamment l'église Saint-Brice, l'église Sainte-Marie-Madeleine (XIIIᵉ siècle), l'église Saint-Jacques (XII-XIIIᵉ siècle), l'église Saint-Piat.

45. Notamment, deux maisons romanes du XIIᵉ siècle, rue Barre-Saint-Brice.

46. Menin, prise par Turenne en 1658, appartint à la France jusqu'au traité de Nimègue, qui la restitua à l'Espagne.

47. Monetarius, dans son *Voyage aux Pays-Bas* (1495), écrit à propos des Brugeoises: «Les femmes, elles, sont très belles, menues de corps; elles s'habillent bien, souvent en rouge très vif» (Paule CISELET et Marie DELCOURT, *Monetarius,* Collection nationale).

48. *Art poétique.*

49. Il s'agit des Halles.

50. Eglise Saint-Martin.

51. Dans la chapelle du doyen, à gauche en entrant, une copie du Van Dyck de Saventhem: *Saint-Martin faisant l'aumône* (*Guide illustré du touriste à Ypres et aux environs,* par DE DEYNE et A. BUTAYE, éd. Callewaert, Ypres, 1909, p. 34).

52. Châtellenie: arrondissement administratif sous l'Ancien Régime.

«L'*Hôtel de la Châtellenie* attire également l'attention. Sept bustes (les sept péchés capitaux, dit-on), sortant d'autant de médaillons séparés par des ancres dorées, courent en frise, au-dessus du premier étage, et un léger balcon en fer forgé surmonte le toit» (*Guide illustré du touriste à Ypres et aux environs, op. cit.*).

Actuellement, les médaillons des Péchés capitaux sont placés sur la façade du nouvel Hôtel de ville.

53. *Gand la superbe Espagnole,* dans l'*Ode sur la prise de Namur.*

54. Une pierre tombale que l'on suppose être celle de Hubert Van Eyck († 1426) se trouve au Musée lapidaire actuellement installé dans le réfectoire de l'abbaye Saint-Bavon (*Gand, Guide illustré, op. cit.,* p. 102).

55. Maison des Francs Bateliers sur le quai aux Herbes.

56. *Opus reticulatum*: maçonnerie employée par les Romains; revêtement de petites pierres ou de briquetage en carrés et en rectangles, dont la disposition offre à l'œil l'image d'un réseau.

57. «L'abbaye Saint-Bavon fut partiellement détruite sous la domination française, en 1815; les émeutes de 1830 complétèrent l'œuvre dévastatrice. Dès 1834, la commission locale des monuments, et plus que tout autre, Auguste Van Lokeren, se préoccupèrent de sauver les épaves du naufrage» (*Gand. Guide illustré, op. cit.,* p. 96).

Ceci explique que Hugo n'ait pas vu de tombeau en 1837. Ces ruines n'étaient que partiellement déblayées.

58. Dulaure (Jacques-Antoine), archéologue et historien français (1755-1835). «Les ouvrages de Dulaure, négligés sous le rapport de la forme, diffus et peu méthodiques, abondent en renseignements» (G. Vapereau).

59. «Dès les temps les plus anciens, le nom fut compris comme: «le pont». Mansion se demande si ce n'est pas une étymologie populaire germanique pour un nom celtique, par exemple: *bruca,* «bruyère». Toutefois, on ne peut sous ce rapport se livrer qu'à des fantaisies» (A. Carnoy, *op. cit.*).

«Bruges a en effet de nombreux canaux sillonnés par des chalands portant plein chargement de denrées alimentaires et même de toutes autres marchandises. Il y a tellement de ponts en pierre qu'il faut le voir pour le croire. C'est de là, je crois, que la ville tire son nom de *Bruges,* des nombreux ponts ou *bruggen* qui s'y voient» (Paule Ciselet et Marie Delcourt, *Monetarius,* Collection nationale, *op. cit.,* p. 42).

«Bruges est selon aucuns ainsi appelée pour l'abondance des eaux et magnificence de plusieurs ponts très beaux de pierre et de bois qu'on voit en cette ville de tous côtés, jaçoit qu'en flamand *brug* signifie *pont*» (Guichardin, *Belgique,* 1567. Textes présentés par Paule Ciselet et Marie Delcourt. Collection nationale, p. 69).

60. *La Vierge et l'Enfant,* en marbre, par Michel-Ange.

61. Eglise Notre-Dame.

62. *L'Adoration des Mages* n'est pas de Rubens. Il y a deux Adorations dans cette église: une de Gérard Zegers (vers 1630), qui est le meilleur tableau de ce peintre; une autre, d'un peintre inconnu de la fin du XVe siècle.

63. *La Vision de sainte Rosalie* a été peint par Jacques Van Oost le Vieux, en 1646, d'après le tableau de Van Dyck (Musée du Belvédère, Vienne).

64. *La Cène,* tableau de Pierre Pourbus (1562).

65. Victor Hugo attaque à tort la contrefaçon littéraire. En réalité, il s'agit de réimpression. Il y aurait à proprement parler contrefaçon ou copie frauduleuse, si les éditeurs belges avaient reproduit fidèlement les livres français, dans les caractères et la présentation, en les marquant du nom de l'éditeur français. Les auteurs étrangers se considéraient toutefois comme lésés, car ils ne percevaient pas de droits d'auteur. A cette époque, la propriété littéraire n'était pas reconnue internationalement. Selon l'article 13 de l'arrêté du 23 septembre 1814, la propriété littéraire n'était pas reconnue en Belgique en ce qui concerne les ouvrages de littérature étrangère, c'est-à-dire «les ouvrages sur lesquels aucun habitant de ce gouvernement ne peut réclamer un droit de propriété». Cet article enlevait tout droit aux auteurs étrangers. La situation était analogue en France, où l'on réimprimait également les ouvrages étrangers. Une nouvelle loi, du 25 janvier 1817, établit une législation uniforme dans l'ensemble des Pays-Bas, sans modifier sensiblement les effets de la loi de 1814. Cette loi est restée en vigueur jusqu'en 1854, date à partir de laquelle a été appliqué l'accord intervenu en 1852 avec la France. Ce pays avait pris une initiative très généreuse en étendant le bénéfice des lois françaises aux auteurs étrangers, sans aucune condition de réciprocité. La réimpression était définitivement abolie en France. La convention franco-belge du 22 août 1852 supprimait également la réimpression en Belgique (D'après Herman Dopp, *La Contrefaçon des livres français en Belgique,* 1815-1852, Louvain, Librairie Universitaire).

En voyage: 1838

Victor Hugo,
pilori de Braine-le-Château,
lanterne supérieure,
mine de plomb.
B.N. 13452. Fol. 56.

Année 1838[1]

Givet

Ce qu'on peut voir sur l'impériale de la diligence Van Gend.
Dans une auberge sur la route, 1ᵉʳ août.

Le lendemain, à cinq heures du matin, cette fois fort bien placé tout seul sur la banquette de la diligence Van Gend, je sortais de France par la route de Namur et je gravissais la première croupe de la seule chaîne de hautes collines qu'il y ait en Belgique; car la Meuse, en s'obstinant à couler en sens inverse de l'abaissement du plateau des Ardennes, a réussi à creuser une vallée profonde dans cette immense plaine qu'on appelle les Flandres[2]; plaine où l'homme a multiplié les forteresses, la nature lui ayant refusé les montagnes.

Après une ascension d'un quart d'heure, les chevaux déjà essoufflés et le conducteur belge déjà altéré se sont arrêtés d'un commun accord et avec une unanimité touchante devant un cabaret, dans un pauvre village pittoresque répandu des deux côtés d'un large ravin qui déchire la montagne. Ce ravin, qui est tout à la fois le lit d'un torrent et la grande rue du village, est naturellement pavé du granit du mont mis à nu. Au moment où nous y passions, six chevaux attelés de chaînes montaient ou plutôt grimpaient le long de cette rue étrange et affreusement escarpée, traînant après eux un grand chariot vide à quatre roues.

Si le chariot eut été chargé, il eût fallu vingt chevaux ou plutôt vingt mules. Je ne vois pas trop à quoi peut servir ce chariot dans ce ravin, si ce n'est à faire faire des esquisses improbables aux pauvres jeunes peintres hollandais qu'on rencontre çà et là sur cette route, le sac sur le dos et le bâton à la main.

Que faire sur la banquette d'une diligence à moins qu'on ne regarde? — J'étais admirablement situé pour cela. J'avais sous les yeux un grand morceau de la vallée de la Meuse; au sud, les deux Givet gracieusement liés par leur pont; à l'ouest, la grosse tour ruinée d'Agimont, se composant avec sa colline et jetant derrière elle une immense ombre pyramidale; au nord, la sombre tranchée dans laquelle s'enfonce la Meuse et d'où montait une lumineuse vapeur bleue. Au premier plan, à deux enjambées de ma banquette, dans la mansarde du cabaret, une jolie paysanne assise en chemise sur son lit s'habillait près de sa fenêtre toute grande ouverte, laquelle laissait entrer à la fois les rayons du soleil levant et les regards des voyageurs quelconques juchés sur les impériales des diligences. Au-dessus de cette mansarde et de cette paysanne, dans le lointain, comme couronnement aux frontières de France, se développaient sur une ligne immense les formidables batteries de Charlemont.

Pendant que je contemplais ce paysage, la paysanne leva les yeux, m'aperçut, sourit, me fit un gracieux signe de tête, ne ferma pas sa fenêtre, et continua lentement sa toilette.

Les bords de la Meuse
Dinant - Namur

Paysage de la Meuse. — La Lesse. — La Roche à Bayard. — Dinant. — Choses inconvenantes que fait une petite bonne femme en terre cuite. — Encore les clochers, les cruches et les architectes. — Châteaux ruinés. — Prière des morts aux vivants. — Idées que les belles filles perchées sur les arbres donnent aux voyageurs juchés sur les impériales. — Souvenirs poétiques à propos de Namur et du prince d'Orange. — Ce qu'enseignent les enseignes.

Liége, 3 août.

Je viens d'arriver à Liége par une délicieuse route qui suit tout le cours de la Meuse depuis Givet. Les bords de la Meuse sont beaux et jolis. Il est étrange qu'on en parle si peu. Les voici en raccourci.

Après le village, le cabaret, et la paysanne qui s'habille au soleil levant, on rencontre une montée qui m'a rappelé le Val-Suzon près de Dijon, et où la route, repliée à chaque instant sur elle-même, se tord pendant trois quarts d'heure au milieu d'une forêt sur de profonds ravins creusés par des torrents. Puis on aborde un plateau où l'on court rapidement avec de grandes campagnes plates à perte de vue autour de soi; on pourrait se croire en pleine Beauce, quand tout à coup le sol se crevasse affreusement à quelques pas à gauche. De la route, l'œil plonge au bas d'une effrayante roche verticale le long de laquelle la végétation seule peut grimper. C'est un brusque et horrible précipice de deux ou trois cents pieds de profondeur. Au fond de ce précipice, dans l'ombre, à travers les broussailles du bord, on aperçoit la Meuse avec quelque galiote qui voyage paisiblement remorquée par des chevaux, et au bord de la rivière un joli châtelet rococo qui a l'air d'une pâtisserie maniérée ou d'une pendule du temps de Louis XV, avec son bassin lilliputien et son jardinet Pompadour, dont on embrasse toutes les volutes, toutes les fantaisies et toutes les grimaces d'un coup d'œil. Rien de plus singulier que cette petite chinoiserie dans cette grande nature. On dirait une protestation criarde du mauvais goût de l'homme contre la poésie sublime de Dieu.

Puis on s'écarte du gouffre, et la plaine recommence, car le ravin de la Meuse coupe ce plateau à vif et à pic, comme une ornière coupe un champ.

Un quart de lieue plus loin on enraie; la route va rejoindre la rivière par une pente escarpée. Cette fois l'abîme est charmant. C'est un tohu-bohu de fleurs et de beaux arbres éclairés par le ciel rayonnant du matin. Des vergers entourés de haies vives montent et descendent pêle-mêle des deux côtés du chemin. La Meuse, étroite et verte, coule à gauche profondément encaissée dans un double escarpement.

Un pont se présente; une autre rivière, plus petite et plus ravissante encore, vient se jeter dans la Meuse, c'est la Lesse; et à trois lieues, dans cette gorge qui s'ouvre à droite, est la fameuse grotte de Han-sur-Lesse. La voiture passe outre et s'éloigne. Le bruit des moulins à eau de la Lesse se perd dans la montagne. La rive gauche de la Meuse s'abaisse, gracieusement ourlée d'un cordon non interrompu de métairies et de villages; la rive droite grandit et s'élève; le mur de rochers envahit et rétrécit la route; les ronces du bord frissonnent dans le vent et dans le soleil, à deux cents

Hippolyte Boulenger,
vue de Dinant,
huile sur toile.
M.R.B.A.B. 2757. Cl. Speltdoorn.

pieds au-dessus de nos têtes. Tout à coup un rocher pyramidal, aiguisé et hardi comme une flèche de cathédrale, apparaît à un tournant du chemin. C'est la *Roche à Bayard,* me dit le conducteur. La route passe entre la montagne et cette borne colossale, puis elle tourne encore, et, au pied d'un énorme bloc de granit couronné d'une citadelle, l'œil plonge dans une longue rue de vieilles maisons, rattachée à la rive gauche par un beau pont et dominée à son extrémité par les faîtages aigus et les larges fenêtres à meneaux flamboyants d'une église du XVe siècle. C'est Dinant. On s'arrête à Dinant un quart d'heure, juste assez de temps pour remarquer dans la cour des diligences un petit jardin qui seul suffirait pour vous avertir que vous êtes en Flandre[3]. Les fleurs en sont fort belles, et au milieu de ces fleurs il y a trois statues peintes, en terre cuite. L'une de ces statues est une femme. C'est plutôt un mannequin qu'une statue, car elle est vêtue d'une robe d'indienne et coiffée d'un vieux chapeau de soie. Au bout de quelques instants, à un petit bruit qu'on entend et à un rejaillissement singulier qu'on entrevoit sous ses jupes, on s'aperçoit que cette femme est une fontaine.

Le clocher de l'église de Dinant est un immense pot à l'eau. Cependant, vue du pont, la façade de l'église a un grand caractère, et toute la ville se compose à merveille.

75

A Dinant on quitte la rive droite de la Meuse. Le faubourg de la rive gauche, qu'on traverse, se pelotonne admirablement autour d'une vieille douve croulante de l'ancienne enceinte. Au pied de cette tour, dans un pâté de maisons, j'ai entrevu en passant un exquis châtelet du XVe siècle avec sa façade à volutes, ses croisées de pierre, sa tourelle de briques et ses girouettes extravagantes.

Après Dinant la vallée s'ouvre, la Meuse s'élargit; on distingue sur deux croupes lointaines de la rive droite deux châteaux en ruine; puis la vallée s'évase encore, les rochers n'apparaissent plus que çà et là sous de riches caparaçons de verdure; une housse de velours vert, brodée de fleurs, couvre tout le paysage. De toutes parts débordent les houblonnières, les vergers, les arbres qui ont plus de fruits que de feuilles, les pruniers violets, les pommiers rouges, et à chaque instant apparaissent par touffes énormes les grappes écarlates du sorbier des oiseaux, ce corail végétal. Les canards et les poules jasent sur le chemin; on entend des chants de bateliers sur la rivière; de fraîches jeunes filles, les bras nus jusqu'à l'épaule, passent avec des paniers chargés d'herbe sur leurs têtes, et de temps en temps un cimetière de village vient coudoyer mélancoliquement cette route pleine de joie, de lumière et de vie.

Dans l'un de ces cimetières, dont l'herbe haute et le mur tombant se penchent sur le chemin, j'ai lu cette inscription:
«O PIE, DEFUNCTIS MISERIS SUCCURRE, VIATOR!»
Aucun *memento* n'est, à mon sens, d'un effet aussi profond. Ordinairement les morts avertissent, ici ils supplient.

Plus loin, lorsqu'on a passé une colline où les rochers de la rive droite, travaillés et sculptés par les pluies, imitent les pierres ondées et vermiculées de notre vieille fontaine du Luxembourg (si déplorablement remise à neuf en ce moment, par parenthèse), on sent qu'on approche de Namur. Les maisons de plaisance commencent à se mêler aux logis de paysans, les villas aux villages, les statues aux rochers, les parcs anglais aux houblonnières, et sans trop de trouble et de désaccord, il faut le dire.

La diligence a relayé dans un de ces villages composites. J'avais d'un côté un magnifique jardin entremêlé de colonnades et de temples ioniques, de l'autre un cabaret orné à gauche d'un groupe de buveurs et à droite d'une splendide touffe de roses trémières. Derrière la grille dorée de la villa, sur un piédestal de marbre blanc veiné de noir par l'ombre des branches, la Vénus de Médicis se cachait à demi dans les feuilles, comme honteuse et indignée d'être vue toute nue par des paysans flamands attablés autour d'un pot de bière[4]. A quelques pas plus loin, deux ou trois grandes belles filles ravageaient un prunier de haute taille, et l'une d'elles était perchée sur le gros bras de l'arbre dans une attitude gracieuse où les passants étaient si parfaitement oubliés, qu'elle donnait aux voyageurs de l'impériale je ne sais quelles vagues envies de mettre pied à terre.

Une heure après j'étais à Namur. Les deux vallées de la Sambre et de la Meuse se rencontrent et se confondent à Namur, qui est assise sur le confluent des deux rivières. Les femmes de Namur m'ont paru jolies et avenantes; les hommes ont une bonne, grave et hospitalière physionomie. Quant à la ville en elle-même, excepté les deux échappées de vue du pont de Meuse et du pont de Sambre, elle n'a rien de remarquable. C'est une cité qui n'a déjà plus son passé écrit dans sa

Victor Hugo,
Namur, poterne de la citadelle,
mine de plomb,
2 septembre 1840.
M.V.H. D. 0876. Cl. Trocaz.

configuration. Sans architecture, sans monuments, sans édifices, sans vieilles maisons, meublée de quatre ou cinq méchantes églises rococo et de quelques fontaines Louis XV d'un mauvais goût plat et triste, Namur n'a jamais inspiré que deux poèmes, l'ode de Boileau[5] et la chanson d'un poète inconnu où il est question d'une vieille femme et du prince d'Orange, et, en vérité, Namur ne mérite pas d'autre poésie.

La citadelle couronne froidement et tristement la ville. Pourtant je vous dirai que je n'ai pas considéré sans un certain respect ces sévères fortifications qui ont eu un beau jour l'honneur d'être assiégées par Vauban et défendues par Cohorn[6].

Où il n'y a pas d'églises, je regarde les enseignes. Pour qui sait visiter une ville, les enseignes des boutiques ont un grand sens. Indépendamment des professions dominantes et des industries locales qui s'y révèlent tout d'abord, les locutions spéciales y abondent, et les noms de la bourgeoisie, presque aussi importants à étudier que les noms de la noblesse, y apparaissent dans leur forme la plus naïve et sous leur aspect le mieux éclairé.

Voici trois noms pris à peu près au hasard sur les devantures de boutiques à Namur; tous trois ont une signification. — *L'épouse Debarsy, négociante.* — On sent, en lisant ceci, qu'on est dans un pays français hier, étranger aujourd'hui, français demain, où la langue s'altère et se dénature insensiblement, s'écoule par les bords et prend, sous des expressions françaises, de gauches tournures allemandes.

Ces trois mots sont encore français, la phrase ne l'est déjà plus. — *Crucifix-Piret, mercier.* — Ceci est bien de la catholique Flandre[7]. Nom, prénom ou surnom, *Crucifix* serait introuvable dans toute la France voltairienne. — *Menendez-Wodon, horloger.* — Un nom castillan et un nom flamand soudés par un trait d'union. N'est-ce pas là toute la domination de l'Espagne sur les Pays-Bas, écrite, attestée et racontée dans un nom propre? — Ainsi voilà trois noms dont chacun exprime et résume un des grands aspects du pays; l'un dit la langue, l'autre la religion, l'autre l'histoire.

Observons encore tout de suite que sur les enseignes de Dinant de Namur et de Liége, ce nom *Demeuse* est très fréquemment répété. Aux environs de Paris et de Rouen, c'est *Desenne* et *Deseine.*

Pour finir par une observation de pure fantaisie, j'ai encore remarqué dans un faubourg de Namur un certain *Janus, boulanger,* qui m'a rappelé que j'avais noté à Paris, à l'entrée du faubourg Saint-Denis, *Néron, confiseur,* et à Arles, sur le fronton même d'un temple romain en ruine, *Marius, coiffeur.*

Les bords de la Meuse Huy - Liège

Les beaux arbres et les beaux rochers. — Louange à Dieu, blâme à l'homme. — Sanson. — Andennes. — Le voyageur donne un sage conseil à M. le curé de Selayen. — Huy. — Coin de terre curieux où l'on récolte du vin belge fait avec du raisin. — Aspect du pays. — Tableaux flamands. — Approches de Liège. — Figure extraordinaire et effrayante que prend le paysage à la nuit tombée. — Ce que l'auteur voit eût semblé à Virgile le Tartare et à Dante l'Enfer. — Liège. — Ville qui ne ressemble

R. Wytsman,
la Meuse à Profondeville.
Collection du Crédit Communal.

à aucune autre. — Il y a des gens qui y lisent Le Constitutionnel. *— Les églises. —*
Saint-Paul. Saint-Jean. Saint-Hubert. Saint-Denis. — Le palais des princes-évêques. —
Admirable cour. — Maison de justice, marché et prison. — Le bourgeois voltairien a trop
d'esprit; le bourgeois utilitaire est trop bête. — Estampes en l'honneur des alliés de
1814. — Désastre de notre grammaire et massacre de notre orthographe.

Liége, 4 août.
Le chemin de Liége s'éloigne de Namur par une allée de magnifiques arbres.
Ces immenses feuillages font de leur mieux pour cacher au voyageur les maussades
clochers de la ville, lesquels apparaissent de loin comme un gigantesque jeu de
quilles diapré de quelques bilboquets. Au moment où l'on sort de l'ombre de ces
beaux arbres, le vent frais de la Meuse vous arrive au visage, et la route se remet à

côtoyer joyeusement la rivière. La Meuse, grossie désormais par la Sambre, a élargi sa vallée; mais la double muraille de rochers reparaît, figurant à chaque instant des forteresses de cyclopes, de grands donjons en ruine, des groupes de tours titaniques. Ces roches de la Meuse contiennent beaucoup de fer; mêlées au paysage, elles sont d'une admirable couleur; la pluie, l'air et le soleil les rouillent splendidement; mais, arrachées de la terre, exploitées et taillées, elles se métamorphosent en cet odieux granit gris bleu dont toute la Belgique est infestée. Ce qui donnait de magnifiques montagnes ne produit plus que d'affreuses maisons. Dieu a fait le rocher, l'homme a fait le moellon.

On traverse rapidement Sanson, village au-dessus duquel achèvent de s'écrouler dans les ronces quelques tronçons d'un château fort bâti, dit-on, sous Clodion. Le rocher figure là un visage humain, barbu et sévère, que le conducteur ne manque pas de faire remarquer aux voyageurs. Puis on gagne Andennes, où j'ai remarqué, rareté inappréciable pour les antiquaires, une petite église rustique du Xe siècle encore intacte[8]. Dans un autre village, à Selayen[9], je crois, on lit cette inscription en grosses lettres au-dessus de la principale porte de l'église: «Les chiens hors de la maison de Dieu». Si j'étais le digne curé de Selayen, je penserais qu'il est plus urgent de dire aux hommes d'entrer qu'aux chiens de sortir.

Après Andennes, les montagnes s'écartent, la vallée devient plaine, la Meuse s'en va loin de la route à travers les prairies. Le paysage est encore beau, mais on y voit apparaître un peu trop souvent la cheminée de l'usine, ce triste obélisque de notre civilisation.

Puis les collines se rapprochent, la rivière et la route se rejoignent, on aperçoit de vastes bastions accrochés comme un nid d'aigle au front d'un rocher, une belle église du XIVe siècle accostée d'une haute tour carrée, une porte de ville flanquée d'une douve ruinée. Force charmantes maisons inventées pour la récréation des yeux par le génie si riche, si fantasque et si spirituel de la renaissance flamande, se mirent dans la Meuse avec leurs terrasses en fleurs des deux côtés d'un vieux pont[10]. On est à Huy.

Huy et Dinant sont les deux plus jolies villes qu'il y ait sur la Meuse. Huy est à moitié chemin entre Namur et Liége, de même que Dinant entre Namur et Givet. Huy, qui est encore une redoutable citadelle, a été autrefois une belliqueuse commune et a soutenu des sièges contre ceux de Liége, comme Dinant contre ceux de Namur, dans ce temps héroïque où les villes se déclaraient la guerre comme font aujourd'hui les royaumes, et où Froissart disait:

> *La grand'ville de Bar-sur-Saigne*
> *A fait trembler Troye en Champaigne*

Après Huy recommence ce ravissant contraste qui est tout le paysage de la Meuse. Rien de plus sévère que ces rochers, rien de plus riant que ces prairies. Il y a là quelques collines hérissées de ceps et d'échalas qui donnent un vin quelconque. C'est, je crois, le seul vignoble de la Belgique.

De temps en temps on rencontre tout au bord du fleuve, dans quelque ravin au-dessus duquel passe la route, une fabrique de zinc dont l'aspect délabré et les toits crevassés, d'où la fumée s'échappe de toutes les tuiles, simulent un incendie qui commence ou qui s'éteint; ou c'est une alunière avec ses vastes monceaux de terre rougeâtre; ou bien encore, derrière une houblonnière, à côté d'un champ de grosses fèves, au milieu des parfums d'un petit jardin qui regorge de fleurs et

Seraing, coulée des lingots d'acier.
BRUYLANT E. et VAN BEMMEL E.,
op. cit.

qu'entoure une haie rapiécée çà et là avec un treillis vermoulu, parmi les caquets assourdissants d'une populace de poules, d'oies et de canards, on aperçoit une maison en briques, à tourelles d'ardoises, à croisées de pierre, à vitrages maillés de plomb, grave, propre, douce, égayée d'une vigne grimpante, avec des colombes sur son toit, des cages d'oiseaux à ses fenêtres, un petit enfant et un rayon de soleil sur son seuil, et l'on rêve à Teniers et à Mieris[11].

Cependant le soir vient, le vent tombe, les prés, les buissons et les arbres se taisent, on n'entend plus que le bruit de l'eau. L'intérieur des maisons s'éclaire vaguement, les objets s'effacent comme dans une fumée; les voyageurs bâillent à qui mieux mieux dans la voiture en disant: «Nous serons à Liége dans une heure.» C'est dans ce moment-là que le paysage prend tout à coup un aspect extraordinaire. Là-bas, dans les futaies, au pied des collines brunes et velues de l'Occident, deux rondes prunelles de feu éclatent et resplendissent comme des yeux de tigre. Ici, au bord de la route, voici un effrayant chandelier de quatre-vingts pieds de haut qui flambe dans le paysage et qui jette sur les rochers, les forêts et les ravins, des réverbérations sinistres. Plus loin, à l'entrée de cette vallée enfouie dans l'ombre, il y a une gueule pleine de braise qui s'ouvre et se ferme brusquement et d'où sort par instants avec d'affreux hoquets une langue de flamme.

Ce sont les usines qui s'allument.

Quand on a passé le lieu appelé la Petite-Flémalle, la chose devient inexprimable et vraiment magnifique. Toute la vallée semble trouée de cratères en éruption.

Quelques-uns dégorgent derrière les taillis des tourbillons de vapeur écarlate étoilée d'étincelles; d'autres dessinent lugubrement sur un fond rouge la noire silhouette des villages; ailleurs les flammes apparaissent à travers les crevasses d'un groupe d'édifices. On croirait qu'une armée ennemie vient de traverser le pays, et que vingt bourgs mis à sac vous offrent à la fois dans cette nuit ténébreuse tous les aspects et toutes les phases de l'incendie, ceux-là embrasés, ceux-ci fumants, les autres flamboyants.

Ce spectacle de guerre est donné par la paix; cette copie effroyable de la dévastation est faite par l'industrie. Vous avez tout simplement là sous les yeux les hauts fourneaux de M. Cockerill.

Un bruit farouche et violent sort de ce chaos de travailleurs. J'ai eu la curiosité de mettre pied à terre et de m'approcher d'un de ces antres. Là, j'ai admiré véritablement l'industrie. C'est un beau et prodigieux spectacle, qui, la nuit, semble emprunter à la tristesse solennelle de l'heure quelque chose de surnaturel.

Les roues, les scies, les chaudières, les laminoirs, les cylindres, les balanciers, tous ces monstres de cuivre, de tôle et d'airain que nous nommons des machines et que la vapeur fait vivre d'une vie effrayante et terrible, mugissent, sifflent, grincent, râlent, reniflent, aboient, glapissent, déchirent le bronze, tordent le fer, mâchent le granit, et, par moments, au milieu des ouvriers noirs et enfumés qui les harcèlent, hurlent avec douleur dans l'atmosphère ardente de l'usine, comme des hydres et des dragons tourmentés par des démons dans un enfer.

Liége est une de ces vieilles villes qui sont en train de devenir villes neuves, — transformation déplorable, mais fatale! — une de ces villes où partout les antiques devantures peintes et ciselées s'écaillent et tombent et laissent voir en leur lieu des façades blanches enrichies de statues de plâtre; où les bons vieux grands toits d'ardoise chargés de lucarnes, de carillons, de clochetons ou de girouettes, s'effondrent tristement, regardés avec horreur par quelque bourgeois hébété qui lit *Le Constitutionnel* sur une terrasse plate pavée en zinc; où l'octroi, temple grec orné d'un douanier, succède à la porte-donjon flanquée de tours et hérissée de pertuisanes; où le long tuyau rouge des hauts fourneaux remplace la flèche sonore des églises. Les anciennes villes jetaient du bruit, les villes modernes jettent de la fumée.

Liége n'a plus l'énorme cathédrale des princes-évêques bâtie par l'évêque Notger en l'an 1000[12], et démolie en 1795 par on ne sait qui[13]; mais elle a l'usine de M. Cockerill.

Liége n'a plus son couvent de dominicains, sombre cloître d'une si haute renommée, noble édifice d'une si fière architecture; mais elle a, précisément sur le même emplacement, un théâtre embelli de colonnes à chapiteaux de fonte où l'on jouera l'opéra-comique, et dont Mlle Mars a posé la première pierre.

Liége est encore, au XIXe siècle comme au XVIe, la ville des armuriers. Elle lutte avec la France pour les armes de guerre, et avec Versailles en particulier pour les armes de luxe. Mais la vieille cité de saint Hubert, jadis église et forteresse, commune ecclésiastique et militaire, ne prie plus et ne se bat plus; elle vend et achète. C'est aujourd'hui une grosse ruche industrielle. Liége s'est transformée en un riche centre commercial. La vallée de la Meuse lui met un bras en France et l'autre en Hollande, et, grâce à ces deux grands bras, sans cesse elle prend de l'une et reçoit de l'autre. Tout s'efface dans cette ville, jusqu'à son étymologie. L'antique ruisseau *Legia* s'appelle maintenant le *Ri-de-Coq-Fontaine.*

Du reste, il faut pourtant le dire, Liége, gracieusement éparse sur la croupe verte de la montagne de Sainte-Walburge, divisée par la Meuse en haute et basse ville, coupée par treize ponts dont quelques-uns ont une figure architecturale, entourée à perte de vue d'arbres, de collines et de prairies, a encore assez de tourelles, assez de façades à pignons volutés ou taillés, assez de clochers romans, assez de portes-donjons comme celles de Saint-Martin et d'Amercœur, pour émerveiller le poète et l'antiquaire même le plus hérissé devant les manufactures, les mécaniques et les usines.

Comme il pleuvait à verse, je n'ai pu visiter que quatre églises: Saint-Paul, la cathédrale actuelle, noble nef du XVe siècle, accostée d'un cloître gothique et d'un charmant portail de la Renaissance sottement badigeonnés, et surmontée d'un clocher qui a dû être fort beau, mais dont quelque inepte architecte contemporain a abâtardi tous les angles, honteuse opération que subissent en ce moment sous nos yeux les vieux toits de notre Hôtel de ville de Paris. Saint-Jean, grave façade du Xe siècle[14], composée d'une grosse tour carrée à flèche d'ardoise, des deux côtés de laquelle se pressent deux autres bas-clochers également carrés[15]. A cette façade s'adosse insolemment le dôme ou plutôt la bosse d'une abominable église rococo dont une porte s'ouvre sur un cloître ogival défiguré, raclé, blanchi, triste et plein de hautes herbes. Saint-Hubert[16], dont l'abside romane ourlée de basses galeries à plein cintre est d'un ordre magnifique[17]. Saint-Denis, curieuse église du Xe siècle dont la grosse tour est du IXe. Cette tour porte à sa partie inférieure des traces évidentes de dévastation et d'incendie. Elle a été probablement brûlée lors de la grande irruption des Normands, en 882, je crois[18]. Les architectes romans ont naïvement raccommodé et continué la tour en briques, la prenant telle que l'incendie l'avait faite et asseyant le nouveau mur sur la vieille pierre rongée, de sorte que le profil découpé de la ruine se dessine parfaitement conservé sur le clocher tel qu'il est aujourd'hui. Cette grande pièce rouge qui enveloppe le clocher, frangée par le bas comme un haillon, est d'un effet singulier.

Comme j'allais de Saint-Denis à Saint-Hubert par un labyrinthe d'anciennes rues basses et étroites, ornées çà et là de madones au-dessus desquelles s'arrondissent comme des cerceaux concentriques de grands rubans de fer-blanc chargés d'inscriptions dévotes, j'ai coudoyé tout à coup une vaste et sombre muraille de pierre percée de larges baies en anse de panier et enrichie de ce luxe de nervures qui annonce l'arrière-façade d'un palais du moyen âge. Une porte obscure s'est présentée, j'y suis entré, et, au bout de quelques pas, j'étais dans une vaste cour. Cette cour, dont personne ne parle et qui devrait être célèbre, est la cour intérieure du Palais des princes ecclésiastiques de Liége. Je n'ai vu nulle part un ensemble architectural plus étrange, plus morose et plus superbe. Quatre hautes façades de granit surmontées de quatre prodigieux toits d'ardoise, portées par quatre galeries basses d'arcades-ogives qui semblent s'affaisser et s'élargir sous le poids, enferment de tous côtés le regard. Deux de ces façades, parfaitement entières, offrent le bel ajustement d'ogives et de cintres surbaissés qui caractérisent la fin du XVe siècle et le commencement du XVIe. Les fenêtres de ce palais clérical ont des meneaux comme des fenêtres d'église. Malheureusement les deux autres façades[19], détruites par le grand incendie de 1734, ont été rebâties dans le chétif style de cette époque et gâtent un peu l'effet général. Cependant leur sécheresse n'a rien qui contrarie absolument l'austérité du vieux palais. L'évêque qui régnait il y a cent cinq ans se refusa sagement aux rocailles et aux chicorées, et on fit deux façades mornes et pauvres; car telle est la loi de cette architecture du XVIIIe siècle, il n'y a pas de milieu: des oripeaux ou de la nudité; clinquant ou misère.

La quadruple galerie qui enferme la cour est admirablement conservée. J'en ai fait le tour. Rien de plus curieux à étudier que les piliers sur lesquels s'appuient les retombées de ces larges ogives surbaissées. Ces piliers sont en granit gris comme tout le palais. Selon qu'on examine l'une ou l'autre des quatre rangées, le fût du pilier disparaît jusqu'à moitié de sa longueur, tantôt par le haut, tantôt par le bas, sous un renflement enrichi d'arabesques. Pour toute une rangée de piliers, la rangée occidentale, le renflement est double et le fût disparaît entièrement. Il n'y a là qu'un caprice flamand[20] du XVIe siècle. Mais ce qui rend l'archéologue perplexe, c'est que les arabesques ciselées sur ces renflements, c'est que les chapiteaux de ces piliers, naïvement et grossièrement sculptés, chargés, aux tailloirs près, de figures chimériques, de feuillages impossibles, d'animaux apocalyptiques, de dragons ailés presque égyptiens et hiéroglyphiques, semblent appartenir à l'art du XIe siècle; et, pour ne pas rendre ces piliers courts, trapus et gibbeux à l'architecture byzantine, il faut se souvenir que le palais princier-épiscopal de Liége ne fut commencé qu'en 1508 par le prince Erard de La Mark, qui régna trente-deux ans[21].

Ce grave édifice est aujourd'hui le Palais de Justice. Des boutiques de libraires et de bimbelotiers se sont installées sous toutes les arcades. Un marché aux légumes se tient dans la cour. On voit les robes noires des praticiens affairés passer au milieu des grands paniers pleins de choux rouges et violets. Des groupes de marchandes flamandes[22] réjouies et hargneuses jasent et se querellent devant chaque pilier; des plaidoiries irritées sortent de toutes les fenêtres; et dans cette sombre cour, recueillie et silencieuse autrefois comme un cloître dont elle a la forme, se croisent et se mêlent perpétuellement aujourd'hui la double et intarissable parole de l'avocat et de la commère, le bavardage et le babil.

Au-dessus des grands toits du palais apparaît une haute et massive tour carrée en briques[23]. Cette tour, qui était jadis le beffroi du prince-évêque, est maintenant la prison des filles publiques; triste et froide antithèse que le bourgeois voltairien d'il y a trente ans eût faite *spirituellement,* que le bourgeois utilitaire et positif d'à présent fait bêtement.

En sortant du palais par la grande porte, j'en ai pu contempler la façade actuelle, œuvre glaciale et déclamatoire du désastreux architecte de 1748[24]. On croirait voir une tragédie de Lagrange-Chancel[25], en marbre et en pierre. Il y avait sur la place devant cette façade un brave homme qui voulait absolument me la faire admirer. Je lui ai tourné le dos sans pitié, quoiqu'il m'ait appris que Liége s'appelle en hollandais *Luik,* en allemand *Luttich,* et en latin *Leodium.*

La chambre où je logeais à Liége était ornée de rideaux de mousseline sur lesquels étaient brodés, non des bouquets, mais des melons. J'y ai admiré aussi des gravures triomphantes figurant, à l'honneur des alliés, nos désastres de 1814, et nous humiliant cruellement dans notre langue. — Voici textuellement la *légende* imprimée au bas d'une de ces images: «BATAILLE D'ARCIS-SUR-AUBE, le 21 mars 1814. La plus part de la garnison de cette place, composée de la garde ancienne (probablement la *vieille garde*) fit fait prisonniers, et les alliés entrèrent vainquereuse à Paris le 2 avril.»

Les bords de la Vesdre Verviers

Le voyageur apaise une querelle et se sacrifie en se satisfaisant. — Paysage de la Vesdre. — Eglogues. — Les vers d'Ovide mis en scène par le bon Dieu. — Quartiers de rochers qui pleuvent. — Ne traversez pas une idylle dans laquelle on fait un chemin de fer. — Verviers. — Les trois quartiers de Verviers. — Le marmot et sa pipe. — Malheureuse ville si les cheminées y fument comme les enfants. — Limbourg. — La douane, la guérite, la frontière.

Aix-la-Chapelle, 4 août.
Hier, à 9 heures du matin, comme la diligence de Liége à Aix-la-Chapelle allait partir, un brave bourgeois wallon ameutait les passants, se refusant à monter sur l'impériale, et me rappelant par l'énergie de sa résistance ce paysan auvergnat *qui avait payé pour être dans la boîte et non sur l'opéra.* J'ai offert de prendre la place de ce digne voyageur, je suis monté sur l'opéra, tout s'est apaisé, et la diligence est partie.

Bien m'en a pris. La route est gaie et charmante. Ce n'est plus la Meuse, mais c'est la Vesdre. La Meuse s'en va par Maestricht et Ruremonde à Rotterdam et à la mer. La Vesdre est une rivière-torrent qui descend de Saint-Cornelis-Munster, entre Aix-la-Chapelle et Duren, à travers Verviers et Chauffontaines, jusqu'à Liége, par la plus ravissante vallée qu'il y ait au monde. Dans cette saison, par un beau jour, avec un ciel bleu, c'est quelquefois un ravin, souvent un jardin, toujours un paradis.

Vue de Verviers.
BRUYLANT E. et VAN BEMMEL E.,
op. cit.

La route ne quitte pas un moment la rivière. Tantôt elles traversent ensemble un heureux village entassé sous les arbres avec un pont rustique devant chaque porte; tantôt, dans un pli solitaire du vallon, elles côtoient un vieux château d'échevin avec ses tours carrées, ses hauts toits pointus et sa grande façade percée de quelques rares fenêtres, fier et modeste à la fois comme il convient à un édifice qui tient le milieu entre la chaumière du paysan et le donjon du seigneur. Puis le paysage prend tout à coup une voix bruyante et joyeuse; et, au tournant d'une colline, l'œil entrevoit, sous une touffe de tilleuls et d'aulnes qui laissent passer le soleil, cette maison basse et cette grosse roue noire inondée de pierreries qu'on appelle un moulin à eau.

Entre Chauffontaines et Verviers la vallée m'apparaissait avec une douceur virgilienne. Il faisait un temps admirable, de charmants marmots jouaient sur le seuil des jardins, le vent des trembles et des peupliers se répandait sur la route, de belles génisses, groupées par trois ou quatre, se reposaient à l'ombre, gracieusement couchées dans les prés verts. Ailleurs, loin de toute maison, seule au milieu d'une grande prairie enclose de haies vives, passait majestueusement une admirable vache digne d'être gardée par Argus. J'entendais une flûte dans la montagne.

Mercurius septem mulcet arundinibus.

De temps en temps la cheminée d'une usine ou une longue pièce de drap séchant au soleil près de la route venait interrompre ces églogues.

Le chemin de fer qui traverse toute la Belgique d'Anvers à Liége et qui veut aller jusqu'à Verviers va trouer ces collines et couper ces vallées.

Ce chemin, colossale entreprise, percera la montagne douze ou quinze fois.

A chaque pas on rencontre des terrassements, des remblais, des ébauches de ponts et de viaducs; ou bien on voit au bas d'une immense paroi de roche vive une petite fourmilière noire occupée à creuser un petit trou. Ces fourmis font une œuvre de géants.

Par instants, dans les endroits où ces trous sont déjà larges et profonds, une haleine épaisse et un bruit rauque en sortent tout à coup. On dirait que la montagne violée crie par cette bouche ouverte. C'est la mine qui joue dans la galerie. Puis la diligence s'arrête brusquement, les ouvriers qui piochaient sur un terrassement voisin s'enfuient dans toutes les directions, un tonnerre éclate, répété par l'écho grossissant de la colline, des quartiers de roche jaillissent d'un coin du paysage et vont éclabousser la plaine de toutes parts. C'est la mine qui joue à ciel ouvert. Pendant cette station, les voyageurs se racontent qu'hier un homme a été tué et un arbre coupé en deux par un de ces blocs, qui pesait vingt mille, et qu'avant-hier une femme d'ouvrier qui portait le *café* (non la soupe) à son mari a été foudroyée de la même façon. — Cela aussi dérange un peu l'idylle.

Verviers, ville insignifiante d'ailleurs, se divise en trois quartiers qui s'appellent la *Chick-Chack,* la *Basse-Crotte* et la *Dardanelle.* J'y ai remarqué un petit garçon de six ans qui fumait magistralement sa pipe, assis sur le seuil de sa maison.

En me voyant passer, ce marmot fumeur a éclaté de rire. J'en ai conclu que je lui semblais fort ridicule.

Après Verviers, la route côtoie encore la Vesdre jusqu'à Limbourg. Limbourg, cette ville comtale, ce pâté dont Louis XIV *trouvait la croûte si dure,* n'est plus aujourd'hui qu'une forteresse démantelée, pittoresque couronnement d'une colline.

Un moment après, le terrain s'aplatit, la plaine se déclare, une grande porte s'ouvre à deux battants, c'est la douane; une guérite chevronnée de noir et de blanc du haut en bas apparaît; on est chez le roi de Prusse.

Notes de Marie-Louise Goffin

1. Les lettres écrites de Belgique en 1840 ont été antidatées par Hugo. En 1838, il ne fit qu'une excursion de deux ou trois semaines qui le mena jusqu'à Vouziers, près de la frontière franco-belge.

En 1839, il effectua son premier voyage au Rhin, de Strasbourg jusqu'en Suisse.

En 1840, il traversa la Belgique et remonta le Rhin, de Coblence à Mayence.

En 1841, Hugo remania ses lettres pour les publier. Il les disposa dans l'ordre topographique, de Cologne à Schaffhouse, en remontant le Rhin. Il mit à la suite de ses lettres de 1838 (Paris-Vouziers), celles de 1840 (Belgique-Cologne-Mayence) et data le tout de 1838, année des premières lettres (D'après la note historique de P. MEURICE, *Le Rhin*, Librairie Ollendorff, 1906).

2. Voir note 11 p. 67.

3. Voir note 11 p. 67.

4. Voir note 11 p. 67.

5. *Ode sur la prise de Namur.*

6. «Le célèbre ingénieur militaire hollandais Cohorn, chargé de mettre Namur en défense contre les entreprises de Louis XIV, construit, de 1690 à 1691, [...], un grand fort détaché, que l'on appela le fort Cohorn»... (*Bulletin du Touring Club de Belgique*, numéro du 1er juillet 1931, p. 166).

7. Voir note 11 p. 67.

8. Andenne. «Le joyau d'Andenelle — et même d'Andenne — c'est l'église romane de ce faubourg. Sa construction remonte à 1112. Elle a été fort bien restaurée et agrandie en 1922. C'est un édifice du plus pur style roman. On y remarque, notamment, une théothèque vénérable, en pierre bleue» (*Bulletin du Touring Club de Belgique*, numéro du 15 mai 1932, p. 152).

9. Plus exactement: Sclayn.

10. Il y avait à cet endroit quelques maisons en style mosan, qui ont été détruites.

11. Il y a plusieurs peintres de ce nom: le plus célèbre est Frans Van Mieris, dit le Vieux (Delft, 1635-Leyde, 1681).

12. Aujourd'hui place Saint-Lambert.

13. La cathédrale Saint-Lambert fut construite par Notger. Elle fut détruite par un incendie en 1185 et reconstruite en style gothique. Sous la première république liégeoise (1792-1793), la Convention nationale liégeoise (séance du 20 février 1793: proposition de Bassenge cadet) prit un arrêté décidant la démolition de la cathédrale. Les travaux de démolition commencèrent le 9 août 1794.

14. Cette tour, selon le chanoine Coenen, est du XIe et du XIIe siècle. Certains disent du Xe siècle, du temps de Notger.

15. Ces bas clochers sont ronds.

16. Saint-Hubert; en réalité, c'est l'église Sainte-Croix. La confusion provient d'une vieille statue de saint Hubert se trouvant dans l'église et qui est le but de pèlerinages. Actuellement les Liégeois appellent encore souvent cette église du nom de Saint-Hubert. La confusion persiste donc.

17. Abside en roman rhénan du XIIe, XIIIe siècle.

18. Hugo se trompe de date. L'église Saint-Denis a été fondée au Xe siècle (987) par l'évêque Notger, comme beaucoup d'autres églises liégeoises.

19. «Les notes prises par V. Hugo ont dû l'égarer singulièrement en lui faisant voir deux façades rebâties après l'incendie de 1734, alors que seule la façade érigée sur la place Saint-Lambert date de cette époque» (Jules HELBIG, *L'Art mosan*, Ed. Van Oest et Cie, Bruxelles, 1911, t. II, p. 20).

20. Voir note 11 p. 67.

21. «Erard de la Marck connaissait l'Italie, et le souvenir des somptueux palais de Rome, de Florence, de Sienne et de Venise devait être demeuré dans sa mémoire et flotter dans son imagination. L'évêque était d'ailleurs un adepte fervent de la Renaissance dont, avant lui, le pays de Liége n'avait pas ressenti l'influence. Naturellement, il aura imposé ses goûts et ses préférences à son architecte et celui-ci ne connaissant pas l'Italie, aura interprété à sa façon les idées et les détails d'Erard. De là, ces dispositions originales et cette décoration bizarre qui, non seulement aux bords de la Meuse, mais dans toutes les contrées de ce côté des Alpes, font du palais des princes-évêques de Liége une œuvre à part, qui, n'ayant pas d'antécédent, n'a point non plus trouvé d'imitateurs» (Jules HELBIG, *op. cit.,* t. II, p. 22). — «La construction du palais fut commencée par Erard de la Marck en 1526» (*Idem*). La même date est donnée dans le *Précis d'Histoire liégeoise* de F. MAGNETTE, p. 173. La date indiquée par Hugo est donc erronée.

22. Voir note 11 p. 67.

23. «Victor Hugo songeait probablement à la cinquième tour qui s'élevait autrefois, isolée, à l'extrémité nord-est de l'ensemble des constructions, vers la rue des Mineurs» (Jules HELBIG, *op. cit.,* t. II, p. 21).

24. La façade du palais fut détruite par un incendie en 1734. L'évêque Georges-Louis de Bergh la fit rebâtir en 1737.

25. Lagrange-Chancel (1677-1758), poète dramatique français. «Lagrange, malgré quelques situations heureuses et l'entente de l'intrigue, resta, par la fadeur des caractères, par la fausseté et la froideur des passions, par la versification dure et prosaïque, à un rang inférieur» (G. VAPEREAU).

En voyage: *1864*

Victor Hugo,
Tirlemont, Notre-Dame-au-Lac,
mine de plomb,
2 octobre 1864.
B.N. Ms. n.a.f. 13.345,
fol. 14. Cl. B.N.

Année 1864

Voyages et excursions

30 septembre. — Partis pour Liége à midi. Charmante route par Pepinster et Chaudfontaine.

A Liége, revu la cour du Palais des Evêques. On la restaure gauchement. Il ne faudrait pas toucher aux colonnes, restituer seulement le style des étages supérieurs qui encadrent la cour. Vu une église. Beaux vitraux. Soir. Orgue. Nous nous sommes promenés le soir dans la ville. Illuminations pour le 34e anniversaire de leur 1830 belge.

1er octobre. — Partis pour Tirlemont. Nous nous arrêtons à Saint-Trond. Vu la ville. Charmant beffroi. Belle église. Bien restaurée au dedans.
Charivari de corne à un veuf qui se remarie.

2 octobre. — Partis pour Louvain. Nous faisons un détour pour voir Léau, ville inédite; on n'y passe jamais. Très bel hôtel de ville (Charles VIII)[1]. Très belle église (XIVe siècle)[2]. Dans l'église plusieurs retables (Charles VIII)[3] du plus riche et du plus charmant goût. Magnifique tabernacle de la Renaissance, haute pyramide tourelle de pierre ouvragée à dix étages décroissants de figures, de statues, de bas-reliefs et d'architectures. Napoléon a voulu enlever ce chef-d'œuvre; on l'eût mis en poussière, il y a renoncé. Vis-à-vis une tombe du comte de Léau et de sa femme qui ont donné ce tabernacle à l'église. *Voilà monsieur et madame,* nous disait un habitant. Le tabernacle est garanti par une superbe grille de cuivre repoussé et menuisé; l'ensemble est splendide.
Arrivés à Louvain à 6 heures. Vu l'hôtel de ville au crépuscule.

3 octobre. — Revu l'hôtel de ville, la cathédrale (Sainte-Marguerite)[4], les tableaux (la *Cène* et le *Saint-Erasme* de Memling)[5]. Revu la belle façade jésuite[6]. On la gratte stupidement.

4 octobre. — *Malines.* Longé le canal. Revu Vilvorde. Kermesse sur la Grand'Place. Vu l'exposition votée par le Congrès catholique. Innombrables richesses des trésors des églises de Belgique. Grande politesse du directeur qui me guide partout. Crosse de bois de saint Malo. Crosse de cuivre de saint Bernard. Magnifique chandelier de cuivre de l'église de Léau. Vu la cathédrale.
Partis à 3 h. 1/4 pour Anvers. Revu la Cathédrale. *La Descente de croix* de Rubens et l'Hôtel de ville. La Maison des Arbalétriers.

6 octobre. — *Termonde.* Vu le soir la place de l'hôtel de ville. Causerie avec l'architecte. Je décide l'architecte à modifier son plan et à conserver le plus possible l'ancien hôtel de ville.

8 octobre. — Partis pour Courtrai. Je me suis arrêté en route pour dessiner un moulin curieux sur le toit d'une maison. Visité et revu Courtrai après vingt-sept ans.

Victor Hugo,
Léau, clocheton de l'église
Saint-Léonard,
mine de plomb,
2 octobre 1864.
M.V.H. 27. Cl. Joffre.

Promenade le soir. Les deux vieilles grosses tours. La Lys. Les églises. Hôtel de ville bêtement restauré.

9 octobre. — *Ypres. Hôtel de la Châtellenie*[7]. C'est l'ancienne maison des Sept Planètes dont il ne reste que les sept figures médaillons en rondebosse. La façade est refaite et détruite. Hôtel de ville splendide, très bien restauré. Le soir, à table, visite du substitut du procureur du roi et de deux membres du congrès d'Amsterdam, etc. Revu la place au clair de lune. Nous décidons que nous verrons Furnes et Dixmude.

10 octobre. — Visité l'Hôtel de ville[8]. J'y suis reçu par le bourgmestre d'Ypres. Intérieur délabré et défiguré. Très belles salles gothiques avec restes de peintures murales. Le bourgmestre me conduit, accompagné du premier échevin et de l'archiviste, sous le toit, immense salle, ancien lieu d'exposition des drapiers du temps qu'Ypres avait 200.000 habitants. Très belle charpente du comble en essence de châtaignier.
Visite aux archives. Un coffre du XIIIe siècle en bois. Très curieux. Très précieux manuscrit des coutumes et us des drapiers. Très rare comme manuscrit laïque.
Le bourgmestre m'offre le diplôme de membre honoraire de la Société des Antiquaires d'Ypres.
Visite à la grande église. Très belle nef du XIVe siècle[9]. Portrait de Jansenius. Tombeau de Jansenius devant l'autel. Une simple pierre avec une croix et une date[10].
Vu le musée. Le premier avocat d'Ypres et le substitut du procureur du roi nous accompagnent. Vitrine pleine d'instruments de torture, achetés il y a cinquante ans comme vieux fer par MM. Carton et Vandepereboom, au moment où l'on allait en faire une ancre. Lame à scier les cous. Fer emmanché de bois pour brûler les dos. Traces de brûlure sur le bois. Engins à écraser les bras. Cela se serre avec des écrous. Engins à écraser les doigts. Collier à suspendre le patient armé de pointes en dedans. Quatre rangs de pointes, quatre anneaux, quatre cordes, quatre poulies aux murs de la chambre. Tout cela servait encore au siècle dernier. Divers procès-verbaux de torture. Un de 1712, en flamand. Vitrine où est la tenaille de fer dont on a supplicié huit échevins au XVe siècle. Longue et lourde. En face, vitrine où est l'épée à mains qui a coupé la tête d'Egmont et de Horn, rapportée par l'évêque d'Ypres qui les avait assistés sur l'échafaud (afin qu'elle ne serve plus, *si ce n'est pour des personnes du même rang*). — Magnifique et rare coffre de laque-coromandel. Rôdé dans les rues. Vu la Maison des Templiers[11]. Deux très belles maisons de bois. Il y a un beau Rubens dans le musée. (*La Prédication de saint Benoît pendant la peste.*)
Un dessinateur prend soin de dessiner toutes les vieilles maisons d'Ypres avant qu'on les démolisse.
Partis à 3 heures pour Furnes.

11 octobre. — *Furnes.* Visité l'Hôtel de ville. Je suis reçu par un membre du conseil municipal et par le bibliothécaire. Très belles salles. Ameublements en partie conservés. Cuir de Cordoue sur les murs, tenture magnifique. Plusieurs cheminées de la Renaissance. Au premier étage, une grande salle absolument intacte, style

**Victor Hugo,
Théâtre de Malines,**
mine de plomb,
5 octobre 1864.
*B.N. Ms. n.a.f. 13.345,
fol. 15. Cl. B.N.*

**Victor Hugo,
Termonde, ancienne boucherie,**
mine de plomb,
7 octobre 1864.
*B.N. Ms. n.a.f. 13.345,
fol. 16. Cl. B.N.*

**Victor Hugo,
Ypres, vieilles maisons,**
octobre 1864.
M.V.H. D. 0165. Cl. Trocaz.

Philippe II. Cuir de Cordoue. Trois portraits d'empereurs en pied, Mathias, Léopold et Joseph II. Haute cheminée de chêne où sont incrustés les portraits d'Albert et d'Isabelle, avec chambranles à figures de marbre noir et de marbre blanc.

Deux admirables portes en chêne sculpté du XVIe siècle. Très beau tapis de table à blasons avec les portraits des rois d'Espagne. Plafond de chêne à poutres.

Autres salles. Le tribunal. Chambre des condamnés à mort. En bas est la chambre de torture. On voit encore, sur le mur, la fumée des brasiers et sur le plancher les taches de la graisse et du sang des torturés. On ne peut voir cette chambre. On en a fait, à intention peut-être, un magasin. Elle est encombrée et fermée.

Le greffier qui en a la clef est à la campagne. Au rez-de-chaussée, jolie chambre bleue tapissée de velours d'Utrecht avec meuble pareil et deux charmants trumeaux bleus au-dessus des portes. Bibliothèque. Cuirs de Cordoue. Armoires Louis XV. Très beau Snyders sur la cheminée, nature morte, bêtes tuées. Le bibliothécaire me prie de signer sur son registre et m'offre un livre sur la vieille pénalité flamande.

Vu l'église. Très belle boiserie de 1632, orgues du temps de Louis XIV[12], très hardiment dressées au-dessus de la porte du chœur. Superbe tabernacle de la Renaissance en marbre.

Ancien hôtel de ville, à demi dégradé par Vauban[13]. Edifice du XIIe siècle. Très beau. Jolie porte trilobée à jour. La grosse tour de l'église; au bas de la tour, très beau porche du XIIe siècle à voussures et à figures, du plus grand style. Plusieurs jolies maisons des XVIe et XVIIe siècles.

A 4 h. 1/2 à Dixmude. Vu l'église. Très curieux jubé flamboyant[14]; le chef-d'œuvre peut-être du gothique extrême. On ne sait en quoi il est fait. Les uns disent en stuc, les autres en pâte de seigle, les autres en pain d'épice. Je le crois en terre glaise à brique. Toute l'église est du plus haut intérêt. Jolie boiserie Louis XII. Beaux fonts baptismaux. Quelques tableaux. Rare et magnifique banc d'œuvre du XVIIe siècle. A Ypres à 7 h. 1/4.

Le soir, arrivés à l'*Hôtel de la Châtellenie,* visite des habitants notables.

La commission du Musée se présente (trois membres) et m'apporte le registre avec prière de le signer. Je le signe. Mes fils signent. Petites harangues. On me remet une médaille en commémoration de mon passage. Je revisiterai le Musée.

12 octobre. — Revu le Musée. Je revois les instruments de torture. La grande lame servait à briser les membres sur la roue. Les petites menottes à écrous servaient à réunir les pouces des mains et les orteils des pieds en X dans le même écrasement; on suspendait, par les pouces et les orteils ainsi reliés, les torturés au-dessus d'un brasier; on ne les brûlait pas, on les cuisait. Le collier à pointes servait à faire mourir les condamnés par la privation de sommeil. Ils étaient debout le cou dans ce collier rattaché au mur par quatre cordes. Si leur tête fléchissait sous le sommeil, un coup de bâton sur les cordes les réveillait en leur enfonçant dans le cou les pointes du collier. — L'évêque d'Ypres qui a confessé Egmont et Horn était Reithovius. Il a apporté le glaive. L'usage était que l'instrument du supplice fût donné aux confesseurs.

Les huit échevins tués dans une émeute en 1303 ont été non tenaillés, mais assommés avec la pincette de fer qui est là et qui était dans la cheminée. Elle a quatre pieds de longueur. Puis on les a jetés par la fenêtre. — On photographiera pour moi les engins de torture.

Le bâtonnier des avocats, qui m'accompagne avec toute la commission du Musée, me prie de voir chez lui un Rubens qu'il a dans sa collection. Nous y allons.

Puis visite chez un vieux peintre très intéressant qui a beaucoup de bahuts très beaux. Nous partons à 4 h. 1/4. Arrivés à Menin à 6 heures.

13 octobre. — *Menin.* Pendant le déjeuner, foule à la porte. Baptiste entre, et dit qu'on va me donner ce soir une sérénade. Entre le bourgmestre. Il me prie, au nom de la ville, de rester un jour. Il m'annonce la visite *des autorités, des notables, du corps des sapeurs-pompiers,* etc. Je le remercie. Je suis forcé de partir. Nous partons à midi. Foule à la porte, très cordiale, qui me salue.

A 5 heures à Tournai. Le beau beffroi de la grande place est défiguré (surtout à la partie inférieure) par une restauration absurde. Nous voyons la cathédrale. Magnifique au dehors, superbe au dedans. *Cinq clochers, quatre cents* (sans) *cloches,* dit le proverbe local. Presque entièrement romane. Admirable jubé de la Renaissance. Beaux vitraux modernes de Capronnier.

14 octobre. — Revu la cathédrale. Le jubé est composé de sujets contrastés de l'Ancien et du Nouveau Testament (comme je l'ai dit dans *William Shakespeare*): *Jonas, Isaac,* etc. Très beaux médaillons de bois sculpté, venant du chœur. Chaque fenêtre verrière Capronnier complète, coûte 3.500 francs. Quiconque veut donner une fenêtre à l'église le peut, moyennant quoi il a son blason dans la cathédrale de Tournai.

Vu le trésor. Plutôt vestiaire que trésor. Chaque ornement se compose de dix chapes. Les chapes moyennes coûtent 3.000 francs. Une des chapes est le manteau de couronnement de Charles-Quint[15], velours rouge avec fleur d'or courant sur le velours. Le devant de ce manteau est estimé 150.000 francs. — Ostensoir de vermeil de 1698. — Beaux rubis. Anecdote racontée par le suisse qui était là.

Le comte de Flandre est venu à Tournai, a vu cet ostensoir, a ôté une bague à rubis qu'il avait au doigt et en a comparé le rubis aux rubis de l'ostensoir.

Le duc d'Arenberg qui était présent a montré le bas du crucifix et a dit: *Prince, ce rubis serait bien là.* Le comte de Flandre a paru ne pas entendre.

15 octobre. — Antoing que nous avons vu hier est un vieux château des XIIe, XVe et XVIe siècles, bien restauré aujourd'hui, à la porte près, qui est bâtarde et mauvaise. L'architecte est de Paris et habile. L'ensemble est magnifique. Il y a dans un renfoncement de muraille une grosse pierre suspendue à des barres de fer. Probablement quelque légende.

— Vu Belœil. De très belles eaux, trop stagnantes pourtant, et de beaux arbres. Deux admirables tilleuls en entrant; deux chimères de blason, en marbre, superbes, un lion et un griffon. Le château est un vieux donjon à quatre tours, abâtardi en château Louis XIV. Les statues sont peu nombreuses et mauvaises. Détestable groupe de Neptune au bout de la grande pièce d'eau. Neptune est badigeonné en jaune.

Revu de dos le prince de Ligne après dix-sept ans; il rentrait suivi de deux chiens, à pied, en long paletot. Il a l'air fort invalide. Il a soixante ans.

J'ai marché en avant deux lieues. La voiture m'a presque perdu, et ne m'a pas rejoint sans peine.

Victor Hugo,
Château d'Antoing,
mine de plomb,
14 octobre 1864.
B.N. Ms. n.a.f. 13.345,
fol. 18. Cl. B.N.

Arrivés à Mons à 5 h. 1/2.
Le soir, en sortant de dîner, revu Mons (après vingt-sept ans). Clair de lune.
Le beffroi espagnol, l'hôtel de ville, les carillons. Sainte-Waudru. La grande place,
même effet féerique et même clair de lune qu'en 1837.

16 octobre. — Visite à Sainte-Waudru. Admirable nef, beaux vitraux. Il y avait un
jubé de la Renaissance, on l'a détruit; on en voit çà et là les restes magnifiques dans
les chapelles. On m'a reconnu comme je sortais de Sainte-Waudru. En passant
devant l'hôtel de ville le chef du poste me fait le salut militaire. A l'*hôtel de la
Couronne,* je trouve le directeur du théâtre qui vient m'offrir une loge pour le soir.
On donne *Le Caïd* et *Les Pattes de mouche.* Je ne puis accepter, je pars.
Il y a une très curieuse et très précieuse serrure gothique à la grande porte de
l'hôtel de ville. La façade est très belle. Les gargouilles de Sainte-Waudru sont
nombreuses et originales. Ce sont les démons condamnés à faire le service des eaux
sales de l'église.

Victor Hugo,
Mons, le beffroi,
mine de plomb,
16 octobre 1864.
B.N. n.a.f. 13.345,
fol. 21. Cl. B.N.

Victor Hugo,
Château du Fosteau, près de Thuin,
mine de plomb,
17 octobre 1864.
*B.N. Ms n.a.f. 13.345, fol. 22.
Cl. B.N.*

17 octobre. — Nous passons à Beaumont. Dans la maison de M. de Caraman, il y a une chambre où Napoléon a couché, allant à Waterloo.
Walcourt. — Revu après trois ans l'église, très belle. XIVᵉ siècle. Beaux vitraux. Très beau porche, intérieur flamboyant.

18 octobre. — Partis à midi pour Dinant. Revu Philippeville. Le puits. — Suivi le cours de la Meuse. — Vu dans les rochers une caverne habitée sept ans par un couple avec six enfants, et portant le n° 70. — Vu près du tunnel du railway de Givet une grotte très haute habitée par les luteaux (lutins); ils raccommodaient les souliers et les hardes qu'on déposait à l'entrée de leur grotte avec une assiette de soupe. J'ai vu l'escalier taillé dans le roc, ébauché plutôt que taillé, qui monte jusqu'à cette grotte.

Victor Hugo,
Walcourt,
mine de plomb,
18 octobre 1864.
M.V.H. D. 0019. Cl. Briant.

Notes de Marie-Louise Goffin

1. Hôtel de ville de style flamboyant, du XVIe siècle.

2. Eglise Saint-Léonard, commencée au XIIe siècle, a subi des remaniements jusqu'au XVIe siècle.

3. Notamment, retable de Saint-Léonard, exécuté en 1478 par Arnould de Diest.

4. En réalité, collégiale Saint-Pierre. Une chapelle adossée à l'église est consacrée à la bienheureuse Marguerite de Louvain. On y trouve les reliques de celle-ci. On accède à cette chapelle par le chœur. Marguerite de Louvain, dite aussi la fière, était née en 1207, selon la légende, et fut tuée à Louvain le 2 septembre 1225, en défendant sa vertu contre des soudards. Depuis le XVe siècle, elle est l'objet d'une dévotion populaire. Cela explique l'erreur de Hugo qui croit l'église consacrée à sainte Marguerite.

5. Ces tableaux sont de Thierry Bouts. A cette époque, «les triptyques passaient tour à tour pour des productions de Quentin Metsys et de Memling; la phrase: *Opus Iohannis Memling*, fut inscrite en lettres d'or sur le cadre de chacun d'eux» (Van EVEN, *Louvain dans le passé et dans le présent*, Aug. Fonteyn, Louvain, 1895).

6. Eglise Saint-Michel, ancienne église des Jésuites, achevée en 1650.

7. Voir note 52 p. 69.

8. L'Hôtel de ville était enclavé entre la façade nord de la halle des Drapiers et le Nieuwerk, édifice de la Renaissance situé au côté est des halles. Il semble bien, d'après la description, que Hugo prend toutes les halles pour l'Hôtel de ville.

9. La nef et le transept, de style gothique primaire, datent de 1254.

10. La cathédrale Saint-Martin a été détruite pendant la guerre de 1914-1918. Elle a été reconstruite avec un souci de scrupuleuse exactitude; la plupart des œuvres d'art qu'elle contenait, ont péri.

11. Maison dite des Templiers, du XIIIe siècle, détruite pendant la guerre de 1914-1918.

12. Boiseries, buffet d'orgues et portes de style Louis XV.

13. Le pavillon des officiers espagnols, de style gothique des XIIIe, XIVe siècles, servit d'hôtel de ville jusqu'à la fin du XVIe siècle; on le restaura de 1890 à 1895 pour y installer les archives et la bibliothèque de la ville.

14. Les débris du célèbre jubé de l'église Saint-Nicolas ont été rassemblés au musée de l'hôtel de ville. Cette œuvre (1536-1543) de Jean Bertet, en style gothique flamboyant, avait été restaurée par Urbain Taillebert à la fin du XVIe siècle, et a été détruite en 1914.

15. Ce manteau fut porté par l'empereur au chapitre de la Toison d'or, tenu dans la cathédrale en 1531.

Victor Hugo,
Beaumont,
17 octobre 1864.
B.N. 13.345, fol. 25.

Lettres et documents

Poèmes, divers, lettres, discours, carnets intimes

Extrait de *Les Rayons et les Ombres*.

ECRIT SUR LA VITRE D'UNE FENÊTRE FLAMANDE

J'aime le carillon dans tes cités antiques,
Ô vieux pays gardien de tes mœurs domestiques,
Noble Flandre où le nord se réchauffe engourdi
Au soleil de Castille et s'accouple au midi!
Le carillon, c'est l'heure inattendue et folle
Que l'œil croit voir, vêtue en danseuse espagnole,
Apparaître soudain, par le trou vif et clair
Que ferait en s'ouvrant une porte de l'air.
Elle vient, secouant sur les toits léthargiques
Son tablier d'argent plein de notes magiques;
Réveillant sans pitié les dormeurs ennuyeux,
Sautant à petits pas comme un oiseau joyeux,
Vibrante, ainsi qu'un dard qui tremble dans la cible,
Par un frêle escalier de cristal invisible,
Effarée et dansante, elle descend des cieux,
Et l'esprit, ce veilleur fait d'oreilles et d'yeux,
Tandis qu'elle va, vient et descend encore,
Entend de marche en marche errer son pied sonore!
Malines-Louvain, 19 août 1837.

Victor Hugo,
Château de La Roche,
mine de plomb,
21 août 1862.
M.V.H. 19. Cl. M.V.H.

Extrait de *Choses vues*.

18 septembre 1847.

Voici quels sont, en cet an 1847, les plaisirs des baigneurs riches, nobles, élégants, intelligents, spirituels, généreux et distingués de Spa:
1° Emplir un baquet d'eau, y jeter une pièce de vingt sous, appeler un enfant pauvre, et lui dire: Je te donne cette pièce si tu la prends avec les dents. L'enfant plonge sa tête dans l'eau, y étouffe, y étrangle, sort tout mouillé et tout grelottant avec la pièce d'argent dans sa bouche, et l'on rit. C'est charmant.
2° Prendre un porc, lui graisser la queue, et parier à qui la tiendra le plus longtemps dans ses mains, le porc tirant de son côté, le gentilhomme du sien.
Dix louis, vingt louis, cent louis.
On passe des journées à ces choses.
Cependant la vieille Europe s'écroule, les jacqueries germent entre les fentes et les lézardes du vieil ordre social; demain est sombre, et les riches sont en question dans ce siècle comme les nobles au siècle dernier.

Victor Hugo,
Château de La Roche vu de
l'entrée,
mine de plomb,
21 août 1862.
M.V.H. 18. Cl. M.V.H.

*Extrait d'une lettre de Victor Hugo à sa femme, écrite à Bruxelles,
le 19 janvier 1852.*

Le bourgmestre vient de temps en temps me voir. L'autre jour il m'a dit: «Je me
mets à vos ordres. Que désirez-vous? — Une chose. — Laquelle? — Que vous ne
blanchissiez pas la façade de votre hôtel de ville. — Diable! mais c'est mieux
blanc. — Non, c'est mieux noir. — Allons! vous êtes une autorité. Je vous promets
qu'on ne blanchira pas la façade...»

*Lettre du 22 février 1858 adressée par Victor Hugo à sa femme à propos d'un voyage à
Louvain.*

«Charles te raconte que je l'ai mené à Louvain. On m'y a fait grand accueil.
Le bibliothécaire m'attendait à la bibliothèque, le directeur à l'Académie, l'échevin à
l'hôtel de ville. On m'a donné une médaille. Le curé ne m'attendait pas à l'église.
J'y suis allé pourtant. La ville était en rumeur. Les élèves de l'Université de Louvain
me suivaient dans la rue, à distance. L'un d'eux m'a dit: Nous n'avons pas crié
«vive» de crainte de donner ombrage, à votre sujet, à notre pauvre
gouvernement.»

*Lettre du 29 février 1852 adressée à Monsieur de Luesemans, membre du conseil
communal de Louvain, à propos de sa récente visite.*

Bruxelles, 29 février 1852.

Monsieur,
A mon retour d'une petite absence, je trouve votre excellente et gracieuse lettre. Elle
me rappelle, en la renouvelant, la cordialité de votre accueil. Je suis heureux que
mon passage à Louvain n'ait pas été absolument inutile aux beaux édifices que votre
ville contient en très grand nombre, et en particulier, à votre précieux hôtel de ville.
Votre hôtel de ville est, pour la période flamboyante de l'architecture ogivale, un
spécimen complet, c'est-à-dire un chef-d'œuvre. Or, un chef-d'œuvre ne saurait être
touché avec trop de goût et approché avec trop de respect. A mon sens, on a trop
restauré votre magnifique hôtel de ville au dehors, et on ne l'a pas assez restauré au
dedans. Je vous l'ai dit, et vous vous rappelez peut-être mes raisons qui ont paru
frapper votre esprit. Si mon reproche à l'architecte pouvait ressembler à une
accusation, votre grenier, encombré de belles sculptures, quelques-unes à peine
frustes, contiendrait les pièces à l'appui. Mais ce qui est fait est fait. N'insistons pas.
Je suis complètement de votre avis sur la convenance, je dis plus, sur la nécessité de
meubler de statues les niches vides de votre hôtel de ville. J'adopte de tous points les
conclusions de votre excellent et solide rapport. Il y a, pour complément que la
statuaire doit à l'architecture, deux raisons principales: premièrement, une raison
d'art: l'hôtel de ville de Louvain est un édifice qui s'élance, qui jaillit, qui monte,
ascendit, c'est là sa beauté; son jet vertical est splendide. Or, les niches vides
dessinent à l'œil trois ou quatre zones horizontales qui brisent ce jet vertical et
dénaturent la ligne simple et fière de cet édifice compliqué en apparence, un au
fond. Meublez les niches, le défaut s'en va, l'ensemble reparaît dans toute son unité.
Deuxièmement, une raison d'histoire: un édifice communal ou religieux dont les

niches statuaires sont vides, est livre dont les pages sont blanches. Mettre une statue, c'est tracer une lettre. C'est avec ces lettres-là que l'histoire écrit.

Je réponds à votre appel avec empressement, Monsieur, et je vous envoie mon opinion, puisque vous pensez qu'elle peut avoir quelque influence sur vos intelligents et honorables collègues du conseil municipal de Louvain. Je ne suis parmi vous qu'un passant, mais un passant ami de votre histoire, de votre art,

de votre pays. Vous le savez, j'aime cette terre libre où il y a tant de belles choses et tant de nobles cœurs; ce n'est pas la première fois que je l'écris, et que je le dis hautement. Permettez-moi de profiter de l'occasion pour vous recommander la superbe façade, style Rubens, de l'église que vous appelez, je crois, Saint-Michel. Restaurez-la le moins possible. C'est encore là un chef-d'œuvre.

Je vous renouvelle, Monsieur, l'assurance de ma plus vive cordialité[1].
Victor HUGO.

Lettre du 8 mai 1852, au Ministre de la Justice pour obtenir un permis de séjour pour toute la Belgique.

8 mai 1852.

Monsieur,
Voici le permis de séjour que j'ai l'honneur de vous transmettre en vous remerciant d'avance pour la peine que vous voulez bien prendre; il me semble que, pour les excursions d'art, que j'ai à faire, il vaudrait mieux qu'au lieu des mots «Bruxelles et les faubourgs» le permis portât la Belgique. Je confie mon observation à votre bonne grâce.
Recevez, l'assurance de mes sentiments distingués.
Victor HUGO.

Victor Hugo raconte son départ de Belgique le 30 juillet 1852.

«De Bruxelles, nous sommes allés à Anvers, où nous devions nous embarquer pour Londres. A Anvers, nous avons trouvé au débarcadère du bateau tous les réfugiés français en Belgique. J'y voyais cet excellent Alexandre Dumas.
Tous étaient tristes, beaucoup ont pleuré, ça m'a profondément ému. Il nous a fallu partir et nous sommes montés sur le bateau. Nous nous sommes éloignés de la Belgique, des réfugiés et de nos amis. Pendant quelque temps nous les avons vus agiter leurs mouchoirs. Tout au loin j'ai distingué principalement Alexandre Dumas à cause de sa haute taille. Puis tout disparut. Je restai seul avec mon fils n'ayant plus tous deux devant nous que la plaine nue, le ciel et l'immensité.»

Lettre à Félix Delbasse, à l'occasion de son départ, en juillet 1852.

Je pars, mon honorable et cher concitoyen; je dis concitoyen car avoir la même foi, c'est avoir la même patrie. Je n'aurai pas le bonheur de vous serrer la main avant de quitter cette Belgique que j'aime. Je m'en vais le cœur triste, plein d'espoir cependant, car si le présent nous sépare, l'avenir nous réunira.

Au moment où Napoléon le Petit *va paraître à Bruxelles, Hugo quitte la Belgique à la fois pour ne pas embarrasser le gouvernement belge et pour respecter sa parole de ne pas faire de politique pendant son séjour.*

Bruxelles, le 31 juillet 1852.

Monsieur le Bourgmestre,

Je quitte Bruxelles et la Belgique; je pars spontanément. Je dois m'éloigner puisque, dans les circonstances actuelles, ma présence semble créer au gouvernement belge un embarras; je tiens d'ailleurs l'engagement que j'avais pris avec moi-même et dont je vous avais fait part, de m'éloigner le jour où paraîtrait l'ouvrage que j'écrivais sur M. Bonaparte.

Je ne veux pas partir, Monsieur le Bourgmestre, sans vous remercier de votre honorable accueil. Vous avez été et vous êtes pour tous les proscrits français une sorte de personnification vivante de ce bon et loyal peuple belge, si digne de la liberté et qui saura la conserver comme il a su la conquérir. Grâce à la cordialité de la nation belge, nous avons retrouvé ici, nous bannis, quelque chose de la patrie, et la Belgique a été pour nous presque une France. C'est avec un sentiment profond que je vous adresse mon remerciement personnel.

Recevez, Monsieur le Bourgmestre, l'assurance de ma vive considération.

Victor HUGO.

Lettre d'adieu à ses amis, les proscrits français, parue dans L'Observateur *du 2 août 1852.*

Bruxelles, le 31 juillet 1852.

Mes chers amis,

Je pars; c'est pour moi un regret profond de vous quitter. Nous avons été compagnons de combat le 2 décembre, nous sommes aujourd'hui compagnons de proscription: il est dur de se séparer. Pour moi, c'est l'exil dans l'exil. Il m'est douloureux de renoncer à cette vie en commun, entre amis, entre proscrits, entre frères, dont vous donnez ici le touchant spectacle et où l'on arrive presque au bonheur à force de cordialité.

J'eusse désiré ne jamais m'éloigner de vous, mais on m'a fait entendre qu'au moment où je vais publier l'ouvrage historique intitulé *Napoléon le Petit,* ma présence serait pour la Belgique un embarras, un péril même, m'a-t-on dit; cela a suffi pour que j'aie pris et dû prendre immédiatement la résolution de quitter Bruxelles. Je vous ai fait part de ma résolution et vous l'avez approuvée. En pareil cas, aucun de nous n'hésitera jamais, et plutôt que de compromettre, ne fût-ce qu'en apparence et aux yeux des esprits timides, la tranquillité ou la liberté d'un peuple, nous accepterons toutes les aggravations de la proscription.

Je vais à Jersey, dans cette Angleterre qui a cette grandeur de pouvoir donner impunément asile à tous les bannis. S'il arrivait que M. Bonaparte crût devoir porter plainte contre moi en Belgique au sujet du livre que je publie, je m'empresserais de revenir, je comparaîtrais avec une confiance profonde devant le loyal jury belge, et je remercierais la Providence de me donner cette nouvelle occasion de plaider contre cet homme, devant la conscience de tous les peuples, la grande cause du droit, de la république et de la liberté!

Chers amis, recevez l'expression de mes sentiments fraternels.
Victor HUGO.

Extrait des *Contemplations.*
A JULES JANIN
(Extraits)

J'habitais au milieu des hauts pignons flamands;
Tout le jour, dans l'azur, sur les vieux toits fumants,
Je regardais voler les grands nuages ivres;
Tandis que je songeais, le coude sur mes livres,
De moments en moments, ce noir passant ailé,
Le temps, ce sourd tonnerre à nos rumeurs mêlé,
D'où les heures s'en vont en sombres étincelles,
Ebranlait sur mon front le beffroi de Bruxelles,
Tout ce qui peut tenter un cœur ambitieux
Etait là, devant moi, sur terre et dans les cieux;
Sous mes yeux, dans l'austère et gigantesque place,
J'avais les quatre points cardinaux de l'espace,
Qui font songer à l'aigle, à l'astre, au flot, au mont,
Et les quatre pavés de l'échafaud d'Egmont.
Marine-Terrace, décembre 1854.

Lettre de Victor Hugo à sa famille, écrite le 29 août 1862 à Virton.

Cette lettre-ci est pour vous trois, je vous envoie mon cœur en bloc. J'ai trouvé à Dinant toutes vos bonnes et charmantes lettres; je suis heureux que tout soit en bon état à Hauteville House, et j'espère que mon arrivée, maintenant très prochaine, n'y gâtera rien. Je n'ai plus que la phase de Bruxelles à avaler et un grand dîner annoncé par les journaux.
Avant-hier, j'étais à Arlon; j'y étais arrivé très obscurément, la nuit, à huit heures du soir; je me croyais le plus inconnu des passants.
La maîtresse de l'auberge se penche à mon oreille pendant que je mangeais ma soupe et me dit: — «Monsieur, la société philharmonique va vous donner une sérénade.»
Je m'ébahis; un quart d'heure après, un orage d'instruments éclate dans la rue, elle se remplit de foule et de flambeaux, toutes les fenêtres d'en face et de partout s'ouvrent, on crie: «Vive Victor Hugo!» et la symphonie reprend, vraiment belle et charmante. On m'annonce un personnage, c'est le président de la société philharmonique, homme distingué; il me complimente, toute la table d'hôte applaudit, la sérénade reprend, je sors sur un perron qui était là comme exprès et je fais un speech; nouveaux hourras, toast final, rumeur dans toute la ville, je rentre et je ne soupe pas.
Ma faim avait passé dans cette tempête. En somme, c'était bon et charmant.
J'ai écrit une lettre à ces braves musiciens d'Arlon. On me fête beaucoup trop, je me cache le plus que je peux, mais mes diables de portraits qui sont partout, me trahissent.
Je me suis enfui d'Arlon et je viens griffonner ceci dans un petit trou des Ardennes

**Victor Hugo,
vieilles maisons à Arlon,**
mine de plomb,
26 août 1862.
M.V.H. D. 0057. Cl. Briant.

**Victor Hugo,
souvenirs de l'abbaye d'Orval,**
plume et lavis,
août 1862.
*B.N. Ms. n.a.f. 13.453,
fol. 28. Cl. B.N.*

**Victor Hugo,
Orval,**
mine de plomb,
29 août 1862.
*B.N. M.s. n.a.f. 13.453,
fol. 29. Cl. B.N.*

appelé Virton, au confluent de la Vire et du Ton. J'ai dans ma chambre deux lithographies coloriées avec légende espagnole représentant Esmeralda, la chèvre, Phœbus et Quasimodo.

Voilà ce qui m'est arrivé dans la ville d'Arlon, l'*orolaunum* de l'histoire et l'*ara lunæ* de la légende. J'aime mieux la légende.

Je vais voir aujourd'hui l'abbaye d'Orval, demain Bouillon, après-demain Beauraing, puis Dinant et de là Bruxelles. Vous pouvez m'écrire à Bruxelles chez M. Lacroix, 3, impasse du Parc, rue Royale. Je vous remercie tous et toutes, je vous embrasse toutes et tous; mon petit Toto m'a écrit une ravissante lettre et toi aussi, chère amie, et je prie ma chère Julie et mon cher beau-frère de prendre aussi leur part de l'épithète. Je serai bien heureux de vous revoir; vous savez comme je vous aime.

Je ferme bien vite cette lettre pour qu'elle parte tout à l'heure. Amitiés à tous ceux qui m'aiment.

Discours de Victor Hugo prononcé le 16 septembre 1862 au banquet offert par ses éditeurs Lacroix et Verboeckhoven et Cie, pour fêter le succès des Misérables *(Publié chez l'éditeur).*

Messieurs,

Je porte la santé du bourgmestre de Bruxelles.

Je n'avais jamais rencontré M. Fontainas; je le connais depuis vingt-quatre heures, et je l'aime. Pourquoi? Regardez-le, et vous comprendrez. Jamais plus franche nature ne s'est peinte sur un visage plus cordial; son serrement de main dit toute son âme; sa parole est de la sympathie. J'honore et je salue dans cet homme excellent et charmant la noble ville qu'il représente.

J'ai du bonheur, en vérité, avec les bourgmestres de Bruxelles; il semble que je sois destiné à toujours les aimer. Il y a onze ans, quand j'arrivai à Bruxelles, le 12 décembre 1851, la première visite que je reçus fut celle du bourgmestre, M. Charles de Brouckère. Celui-là aussi était une haute et pénétrante intelligence, un esprit ferme et bon, un cœur généreux.

J'habitais la Grand'Place de Bruxelles, qui, soit dit en passant, avec son magnifique hôtel de ville encadré de maisons magnifiques, est tout entière un monument. Presque tous les jours, M. Charles de Brouckère, en allant à l'hôtel de ville, poussait ma porte et entrait. Tout ce que je lui demandais pour mes vaillants compagnons d'exil était immédiatement accordé. Il était lui-même un vaillant; il avait combattu dans les barricades de Bruxelles. Il m'apportait de la cordialité, de la fraternité, de la gaîté, et, en présence des maux de ma patrie, de la consolation. L'amertume de Dante était de monter l'escalier de l'étranger; la joie de Charles de Brouckère était de monter l'escalier du proscrit. C'était là un homme brave, noble et bon. Eh bien, le chaud et vif accueil de M. de Brouckère, je l'ai retrouvé dans M. Fontainas; même grâce, même esprit, même bienvenue charmante, même ouverture d'âme et de visage; les deux hommes sont différents, les deux cœurs sont pareils. Tenez, je viens de faire une promenade en Belgique; j'ai été un peu partout, depuis les dunes jusqu'aux Ardennes. Eh bien, partout, j'ai entendu parler de M. Fontainas; j'ai rencontré partout son nom et son éloge; il est aimé dans le moindre village, comme dans la capitale; ce n'est pas là une popularité de clocher, c'est une popularité de nation. Il semble que ce bourgmestre de Bruxelles soit le bourgmestre de la Belgique. Honneur à de tels magistrats! ils consolent des autres. Je bois à l'honorable M. Fontainas, bourgmestre de Bruxelles; et je félicite cette illustre ville d'avoir à sa tête un de ces hommes en qui se personnifient l'hospitalité et la liberté, l'hospitalité qui était la vertu des peuples antiques et la liberté qui est la force des peuples nouveaux.

Victor Hugo,
Château de Bouillon,
mine de plomb,
30 août 1862.
M.V.H. D. 0052. Cl. Joffre.

Lettre à son fils.

A François-Victor

Florenville, le 21 août (1863).

Mon Victor, quatre mots in haste. Tu m'écriras à Mayence comme ceci:
M. Alfred Busquet, poste restante A Mayence. (Prusse rhénane.)
J'y serai dans dix jours. Je ne donne pas mon nom pour adresse. Tu comprends pourquoi. J'ai dû quitter Dinant précipitamment, le bourgmestre allait venir me haranguer. Si la poste savait que je vais arriver à Mayence, j'y serais une curiosité avant même d'être descendu de voiture.
Notre petit voyage va à merveille. Charles et Busquet sont gais et charmants.
Ta mère nous a quittés à Bruxelles pour Paris, admirablement gaie et charmante, elle aussi. J'espère que tout va bien à Guernesey. Ecris-moi ce qu'il pourrait y avoir de nouveau.
Mon Victor chéri, notre joie serait complète si tu étais là. Tu nous manques et nous parlons sans cesse de toi. Travaille mon cher et courageux enfant, et achève ta belle et grande œuvre.
V.

Après le décès de sa femme à Bruxelles, il accompagne en train le cercueil jusqu'à la frontière française. Il note dans ses carnets intimes en date du 28 août 1868:

«Après quelque temps, Charles m'a touché l'épaule. Un honorable habitant de Quiévrain, M. Petit, nous offrait l'hospitalité. Nous nous sommes dirigés vers la sortie de la gare. Rochefort m'a offert son bras. Je lui ai dit: «Vous venez de voir la voiture dans laquelle je rentrerai en France.»»
«29 août: La maison Petit est tout près de la gare. L'hospitalité a été cordiale et attendrie. Nous y avons passé la nuit. Dans ma chambre, il y avait le volume illustré des *Misérables*. J'ai écrit dessus mon nom et la date, laissant ce souvenir à mon hôte.»

Au moment où l'Empire s'effondre, Victor Hugo s'apprête à rentrer en France, et se rend, le 19 août 1870, à la Légation française pour obtenir son passeport. C'est ce qu'il relate dans son carnet.

«Quand j'ai dit mon nom, le chef de bureau est allé chercher le chancelier, le chancelier est venu et est allé chercher le ministre. Le ministre n'y était pas.
A sa place est venu le chargé d'affaires, qui est M. Laboulaye. J'ai dit au chargé d'affaires que je rentrais en France pour faire à Paris mon devoir de citoyen, mais que je protestais contre le passeport imposé par l'Empire. Il a été fort poli; il m'a dit «Avant tout, je salue le grand poète du siècle». Il m'a demandé d'attendre jusqu'au soir et qu'il m'enverrait ses passeports chez moi.»

En attendant ses papiers, il écrit le 23 août 1870 dans son carnet intime:

«23 août 1870 — J'ai remarqué aujourd'hui dans les démolitions pour l'assainissement de la Senne, entre la rue de l'Ecuyer et la rue Fossé aux Loups, une vieille tour encore debout que la destruction des maisons environnantes à mise à nu… C'est une tour de l'ancienne enceinte de Bruxelles. Elle faisait probablement partie de la porte de Laeken qui était là [Hugo s'est vraisemblablement trompé: il devait s'agir de la Tour Noire]. Elle est du quatorzième siècle avec pignon-escalier du quinzième. Il serait stupide de la démolir. Si je n'étais pas absorbé par de plus graves soucis, j'élèverais la voix en faveur de cette pauvre vieille tour»…

Extraits des *Carnets intimes,* 27 mai 1871.

— Ce soir, je suis rentré à onze heures et demie; par un hasard qui m'a sauvé peut-être, au lieu de rentrer par mon chemin ordinaire, la rue Sablonnière, je suis rentré par la rue Notre-Dame-aux-Neiges. Vers minuit et demi, comme je venais de me coucher et comme j'allais m'endormir, on sonne. J'écoute. On sonne.
Je me lève, je passe mon caban. Je vais à la fenêtre et je l'ouvre, encore à demi endormi. «— *Qui est là?*» — Une voix répond: «*Dombrowsky.*» Je pense ou je rêve: Est-ce qu'il ne serait pas mort, aurait-il lu ma lettre, et vient-il me demander asile? Comme j'allais descendre pour ouvrir, une grosse pierre frappe le mur, et je vois une foule d'hommes dans la place. Je comprends que c'est un guet-apens.
Je m'avance à mi-corps hors de la fenêtre et je crie à ces hommes: «— *Vous êtes des misérables!*» Puis je referme la fenêtre. En ce moment une pierre énorme brise la vitre-glace juste au-dessus de ma tête et vient tomber dans la chambre.
Le rideau s'envole et s'accroche au lustre de Saxe qui est au plafond. Et j'entends ces cris: «— *A mort Victor Hugo! A mort Jean Valjean! A mort Clancharlie! A la lanterne! A la potence! A mort le brigand! Tuons Victor Hugo!*» L'assaut de la maison a commencé en règle.
La vaillante Mariette a été verrouiller la porte. La porte a résisté. Ils ont tenté l'escalade.
Les volets du rez-de-chaussée ont résisté. Une pluie de pierres a lapidé la maison. Ils criaient: «*A mort!*» Jeanne, qu'une pierre a effleurée dans ma chambre, me regardait avec ses grands yeux étonnés. Petit Georges disait: «— *Ce sont les Prussiens.*» Louise et Adeline poussaient des cris de terreur. Alice et Mariette, montées sur le châssis de la serre, appelaient éperdument au secours. Je me taisais. J'attendais. Pas une fenêtre ne s'est ouverte. Pas un secours n'est venu.
Il paraît que la police était occupée ailleurs. C'était un guet-apens réactionnaire et bonapartiste que le ministère clérical belge tolérait un peu. Cela a duré deux heures. La porte ayant tenu bon, grâce au verrou mis par Mariette, ils s'en sont allés au petit jour. Quand tout a été fini, la police est venue. Le cri «*A mort Victor Hugo! A mort le brigand!*» emplissait la place. Comme je défends le droit d'asile, je suis un brigand, et comme je ne veux pas qu'on tue, il faut me tuer.
Cinquante ou soixante hommes armés de pierres et de bâtons ont assiégé pendant deux heures, la nuit, dans une maison, un homme de soixante-neuf ans, quatre femmes et deux petits enfants. J'étais sans armes. Je n'avais pas même une

Victor Hugo,
Château de Walzin,
mine de plomb, plume et lavis,
19 août 1863.
M.V.H. 25. Cl. M.V.H.

19
aout
Walzin

**Victor Hugo,
Bruxelles, porte de Laeken,**
24 août 1870, mine de
plomb.
M.V.H. D. 0871. Cl. Trocaz.

canne. J'ai vu de près cette vilaine mort, l'assassinat. L'assaut a eu trois reprises furieuses. Puis il y avait des silences. Dans les intervalles, j'entendais au fond de la place le chant du rossignol.

— Le commissaire de police est venu chez moi constater les dégâts de la nuit. Pierres, verre brisé, rideaux déchirés, etc. Petite Jeanne regarde ce désordre et dit: «*caca*».

— Après le dîner, sur invitation pressante, à 8 heures du soir, je suis allé à la Sûreté (qui est comme la préfecture de police de Bruxelles) et j'ai causé avec le préfet qui s'intitule administrateur et qui s'appelle (signature illisible). J'ai eu avec lui une conversation très grave, à la suite de laquelle, si je n'ai satisfaction, il sera de ma dignité de quitter la Belgique. J'ai donné au gouvernement belge ses huit jours. J'écrirai cette conversation. A un certain moment, ce monsieur m'a dit: «— *Le gouvernement belge a de la bienveillance pour vous.*» Je lui ai répondu: «— *J'ai de la bienveillance pour le gouvernement belge, mais je lui défends d'en avoir pour moi. Je ne veux pour moi que la justice.*»

Je crois, pour mes petits-enfants, devoir ne pas coucher chez moi. Alice couche chez Mme Berru, avec Georges. Je coucherai avec Jeanne à l'*Hôtel de la Poste*. La maison sera déserte.

29 mai.

Cette nuit, il y a eu devant ma maison un rassemblement de jeunes élégants sortant de Wauxhall. Ils m'ont hué et sifflé, absent. Un régiment de ligne et un régiment de cavalerie (les guides) étaient consignés, prêts à marcher si le brigandage de la veille s'était renouvelé.

— Je reçois beaucoup d'injures anonymes. Les réactionnaires belges sont exaspérés contre moi. Que m'importe! Je reçois aussi une foule de marques de sympathie.

— Ni le bourgmestre de Bruxelles, ni le ministre de France, ni le procureur du roi, ne sont venus place des Barricades constater le guet-apens de samedi.

— J'ai invité à dîner M. et Mme Berru et l'abbé Michon.

Cette nuit encore, nous couchons à l'*Hôtel de la Poste*.

Midi. Un huissier m'apporte mon ordre d'expulsion commençant ainsi: «*Il est enjoint au sieur Hugo,* etc.» Signé: «*Léopold*». Je conserve cette curiosité.

— J'ai invité M. Busnach à dîner.

— Il y a interpellation au Sénat à mon sujet. Un M. de Ribeaucourt m'a qualifié «*l'individu dont il s'agit*».

Je continue à coucher à l'*Hôtel de la Poste* (sous les combles, chambre 99; la place manque dans l'hôtel).

31 mai.

Foule chez moi. Mon expulsion indigne les Belges. M. Gustave Frédérix a déjeuné avec moi. Victor est venu. Nous comptons partir demain. Nous irons au Luxembourg. Peut-être à Vianden. Là nous attendrons et verrons venir. La réaction commet à Paris tous les crimes. Nous sommes en pleine terreur blanche.

— Je suis allé à la légation de France chercher mon passeport. Je l'ai pris, comprenant mon fils Victor, ma bru Alice, les enfants et les bonnes, à destination de Luxembourg, France et Suisse.

M. Busnach dînera avec nous. M. Ernest Lefèvre dîne avec nous pour la dernière fois. Demain, pendant que je partirai pour Luxembourg devant l'expulsion, il partira pour Londres devant l'extradition. On dit Meurice arrêté, mais bien traité et Vacquerie libre, mais recherché activement. Pauvres chers amis! Eux traqués, moi expulsé. On m'a averti à la légation qu'il y avait péril d'arrestation pour Victor et pour moi si nous rentrions en France.

Nous comptons partir demain 1er juin pour Luxembourg.

J'emporte en or français 4 180 frs.

1er juin.

Au moment de partir, je reçois d'Angleterre un télégramme ainsi conçu:
Harrow, 31 mai 1874.
Victor Hugo, 4, rue des Barricades, Bruxelles. Je vous offre l'hospitalité chez moi pour six mois.
E. BOWEN.
(Harrow, England).
J'y répondrai et remercierai.

— Visite du général polonais Ostrowsky. Il me dit: «— *Puisqu'on expulse Victor Hugo, je m'expulse. Je quitterai la Belgique aujourd'hui même.*»

— Nous sommes partis de Bruxelles à midi 35 m. Nous étions sept dans le wagon: Suzanne, Mariette et Louise, Victor, Mme Charles, J. J. et moi, plus Georges et Jeanne qui ont été très gais pendant tout le chemin.

— Sept première classe pour Luxembourg, 140 frs.

— On m'a beaucoup salué au passage dans les gares pendant tout le trajet. Nous sommes arrivés à Luxembourg à 7 h. du soir. A mon arrivée, cris de «*Vive Victor Hugo!*» Un ouvrier m'a fait le salut militaire en disant: «— *Vive Victor Hugo! Vive la France!*»

Lettre du 5 juin 1874 à un ami. (Collection de M. Paul Weber, à Luxembourg).

5 juin. Luxembourg.

Merci, cher et vaillant ami.

Je vous envoie pour *Les Nouvelles* ma lettre aux Cinq de la Belgique, elle est publiée ici dans *L'Avenir*, journal honnête qui n'est encore que libéral et qui deviendra par la force des choses, républicain.

Tout ce que vous me dites de Bruxelles me touche et mon cœur est avec vous.

Merci, éloquent et cher penseur. Il n'y a ni Belges, ni Français, il y a les Etats-Unis d'Europe, il y a la République universelle.

Vivons dans cette pensée en défendant la liberté.

Je serai à Vianden vendredi 9 juin.

A bientôt.

Votre ami

Victor HUGO.

Victor Hugo,
Cascade de Coo,
mine de plomb,
29 septembre 1864.
B.N. Ms. n.a.f. 13.345, fol. 11.
Cl. B.N.

1. Hugo intervint dans la restauration de l'Hôtel de ville de Louvain, dont les sculptures exécutées en pierre spongieuse se détérioraient, — «c'est pour cette raison qu'on avait, au XVIᵉ siècle, l'habitude de les peindre à l'huile, ainsi que l'atteste Guicciardini». Une restauration avait été pratiquée de 1829 à 1841, mais la pierre nouvelle n'était pas plus résistante que l'ancienne. La question d'une seconde restauration se posait; il s'agissait aussi de décider s'il convenait de mettre des statues dans les niches restées vides depuis la construction du monument. L'archiviste de Louvain, Van Even, raconte fidèlement la visite du poète, de son fils Charles et de son ami André Van Hasselt et il reproduit une lettre où le poète prend position dans le débat. Cette lettre, fort intéressante, n'a pas été reproduite dans les œuvres de V. Hugo. A la suite de cette visite, 159 statues furent placées, de 1852 à 1881. L'effet est très beau.

Victor Hugo,
Abbaye de Villers-la-Ville,
mine de plomb,
3 septembre 1862.
M.V.H. D. 0880. Cl. Trocaz.

Postface

UN VISITEUR ENCOMBRANT

Homme de plusieurs vies, Victor Hugo dégagea de son existence au moins deux parties bien distinctes, séparées par le coup d'Etat du Prince Louis Bonaparte.

Parallèlement, on pourrait discerner aussi deux types de comportement dans son étrange relation avec la Belgique: celui du touriste curieux et celui du proscrit révolté.

Avant le 2 décembre 1851, Victor Hugo vit dans les honneurs et la célébrité obtenue très tôt. Il est pair de France, écrivain de haute renommée, sa réputation est immense. Tous les voyages qu'il effectue revêtent un caractère touristique, animé par son appétit de découverte et son besoin de comprendre le monde. C'est dans cet esprit-là qu'il vient pour la première fois en Belgique, en 1837, à trente-cinq ans.

Cette Belgique, il la décrit, il la dessine, il la chante avec honnêteté. Aussi bien dans ses poèmes que dans ses lettres, il n'essaie en aucune manière d'édulcorer ses vues. Il est tantôt ethnologue, tantôt historien, tantôt poète et la Belgique est une belle muse pour lui. Il s'y sent bien, accueilli chaleureusement par les plus modestes comme par les plus illustres citoyens de ce jeune Etat. Mais il est à l'étranger. La Belgique n'est pas la France, il a franchi la frontière, il découvre des mœurs et des cultures différentes, il goûte aussi des produits propres aux terroirs et insolites à ses yeux car absents des tables françaises.

Ses témoignages, ses recensions, s'apparentent donc parfois à de véritables reportages et comme l'homme pratique l'écriture de manière boulimique, il nous laisse de précieuses traces de ses passages dans nos villes et communes, dans nos champs et vallées. Près de cent cinquante lieux de Belgique sont recensés dans son œuvre, la plupart avec ferveur et félicité.

Même Waterloo, la *morne plaine*, n'est pas décrié. Ce lieu maudit où le monde s'est reconstitué sur le dos de la France est, pour Victor Hugo, synonyme de tristesse et de malheur. Pour ne pas le dénigrer, pour s'épargner de la peine, il évite de s'y rendre. Sans doute y est-il pourtant souvent tenté...

«A Bruxelles, je n'ai pas voulu voir Waterloo. J'ai jugé inutile de rendre cette visite à lord Wellington. Waterloo m'est plus odieux que Crécy. Ce n'est pas seulement la victoire de l'Europe sur la France, c'est le triomphe complet, absolu, éclatant, incontestable, définitif, souverain, de la médiocrité sur le génie. Je n'ai pas été voir le champ de Waterloo. Je sais bien que la grande chute qui a eu lieu là était peut-être nécessaire pour que l'esprit du nouveau siècle pût éclore. Il fallait que Napoléon lui fît place. C'est possible. J'irai voir Waterloo quand un souffle venu de France aura jeté bas ce lion flamand à qui saint Louis avait déjà arraché les ongles, les dents, la langue et la couronne, et aura posé sur son piédestal un oiseau français quelconque, aigle ou coq, peut m'importe. Je n'ignore pas que tout ce que j'écris ici pourrait se traduire en un couplet de facture, mais cela m'est égal.»

(Lettre à sa femme, Adèle, datée du 5 septembre 1937)

Il faudra l'essentiel besoin des *Misérables* qu'il rédige avec un soin d'enquêteur pointilleux pour qu'il se décide à y séjourner et, cette fois, à en arpenter le champ de bataille sous toutes ses latitudes et longitudes pendant plusieurs semaines.

Le 2 décembre 1851, cet honorable citoyen, ce glorieux écrivain devient un rebelle, un proscrit. Il ne lui faut que quelques jours pour comprendre que le dictateur qu'il nommera *Napoléon le Petit* pourrait bien l'embastiller, à tel point qu'il doit fuir Paris et passer la frontière sous un déguisement. Cet homme qui revient à Bruxelles sous un faux nom va connaître avec la Belgique une autre forme de liaison, un autre rapport d'appartenance et d'hospitalité.

La terre d'exil n'est pas toujours terre d'asile. Par deux fois, la Belgique expulsera Victor Hugo. Ce pays qu'il aime et qui l'aime ne supportera plus sa présence lorsqu'il dérangera les puissants par ses paroles et ses écrits.

Si les gens de progrès, les artistes, le peuple le soutiennent, le gouvernement et la Cour – sans doute en complicité avec le monarque français – le trouvent indésirable. Hugo comprend. Il vient d'écrire un pamphlet terrible contre l'empereur voisin qu'il combat. C'est ainsi que commencera la longue période d'exil dans les îles anglo-normandes.

L'expulsion du 30 mai 1871 sera la plus cruelle, parce que liée non plus cette fois à sa diatribe contre le chef du grand Etat voisin – qui avait d'ailleurs été renversé quelques mois plus tôt – mais bien à la Commune de Paris qu'il défend de toutes ses forces, y compris sur un plan affectif, tentant par tous les moyens de sauver la vie d'amies et d'amis très chers, comme Louise Michel, déportée dans des conditions atroces en Nouvelle-Calédonie.

Victor Hugo,
Château de Beaufort,
sanguine, 12 juin 1871.
M.V.H. Cl. M.V.H.

C'est un vieux monsieur de soixante-neuf ans, avec sa servante et ses petits-enfants, qui, une nuit de printemps, place des Barricades, reçoit l'assaut d'une cinquantaine de militants réactionnaires qui brisent les vitres de ses fenêtres à coups de cailloux et de pavés.

Le nom de Victor Hugo est universellement connu, celui du baron d'Anethan l'est un peu moins. Ce triste sire était ministre de l'Intérieur en 1871 et laissa son nom au bas d'un texte dans lequel il enjoignait «au sieur Victor Hugo, homme de lettres, de quitter immédiatement le royaume, avec défense d'y rentrer à l'avenir». Victor Hugo vivra encore quatorze années, dans la gloire, avant de s'éteindre. Plus jamais ce Juste ne viendra en Belgique.

Le XIXe siècle est parsemé d'émotions grandiloquentes. Il est stupide d'examiner l'Histoire en projetant des «si». On ne peut cependant s'empêcher d'imaginer ce qu'aurait pu être cette dualité formée d'une jeune dame ambitieuse, la Belgique, et d'un poète visionnaire génial. Un couple promu à une belle et véritable histoire d'amour...

Mais il est probable que certains esprits chagrins aient redouté que l'union fût trop fertile...

Jean-Pol BARAS

Bibliographie

Victor Hugo et la Belgique

ARTY P. (textes rassemblés par), *La Belgique selon Victor Hugo*, Liège-Bruxelles, Desoer, 1968.

BOGHAERT-VACHE A., *Victor Hugo en Belgique,* dans *Revue de Belgique*, 1962.

BOVESSE Fr., *Victor Hugo en Belgique. Les séjours du poète et la commémoration du cinquantenaire de sa mort 1885-1935. Les cérémonies de Bruxelles et de Waterloo 25 mai 1935*, Bruxelles, L & M, 1935.

CAMBY J., *Victor Hugo en Belgique. Portrait, documents, autographes et dessins inédits*, Paris, E. Droz, 1935.

CHARLIER G., *Une voix de l'exil*, dans *Bulletin de l'Académie royale de langue et de littérature françaises de Belgique*, t. XXVII, fasc. 2, 1949.

CHARLIER G., *Victor Hugo en Belgique avant l'exil*, dans *Bulletin de l'Académie royale de langue et de littérature françaises de Belgique*, t. XXX, fasc. 3, 1952.

CHRISTOPHE L., *Victor Hugo à Mont-Saint-Jean*, dans *Bulletin de l'Académie royale de langue et de littérature françaises de Belgique*, t. XXXII, fasc. 3, 1954.

CLEMENT-JANIN M.-H., JANIN J. et MUNSCH H., *Victor Hugo en exil d'après sa correspondance avec Jules Janin, et d'autres documents inédits*, Sofia, PAB, 1922 (Rétrospectives).

DAVIGNON H., *Le Centenaire de Victor Hugo,* Bruxelles, Société belge de librairie, 1902.

DEFLANDRE M., *Durant l'exil: Victor Hugo et l'abbaye de Villers-la-Ville en Brabant*, Jette, Maurice Deflandre, 1955.

DE PENERANDA Ch., *La Belgique vue par Victor Hugo*, Oostende, Erel, 1990.

DESCOTES M., *Victor Hugo et Waterloo*, Paris, Lettres modernes, 1984 (Archives des lettres modernes, 214).

DULLAERT M., *Victor Hugo à Bruxelles*, Bruxelles, Editions de la Jeunesse nouvelle, 1922.

DUMAS A., HUGO V. et GAUTIER Th. (et alii), *Guide du touriste en Belgique*, Bruxelles, s.e., 1845.

FLEISCHMANN H., *Victor Hugo, Waterloo, Napoléon. Documents recueillis,* Paris, Albert Mericant, 1912.

FOUSS E. P., *Victor Hugo aux pays de Virton et d'alentour. 1862-1863-1864*, Virton, Editions du Musée gaumais, 1952.

FREDERIX G., *Souvenir du Banquet offert à Victor Hugo*, Bruxelles, Lacroix et Verboeckhoven, 1862.

GARSOU J., *L'Expulsion de Victor Hugo en 1871*, Bruxelles, Lesigne, s.d.

GELY Cl. (textes rassemblés par), *Voyages. France et Belgique (1834-1837)*, Grenoble, Presses universitaires de Grenoble, 1974.

GIRAUD A., *Victor Hugo. Conférence faite le 26 février au théâtre du Parc à Bruxelles*, Bruxelles, Weissenbruch, 1902.

GOFFIN M.-L., *La Belgique vue par Victor Hugo*, Bruxelles, Office de Publicité, 1945.

HAZARD P., *Avec Victor Hugo en exil*, Paris, Belles Lettres, 1931 (Etudes françaises, 23).

HOVASSE J.-M., *Bruxelles et Victor Hugo. Ecrits et correspondance*, Bruxelles, Le Cri, 1994.

HOVASSE J.-M., *Victor Hugo chez les Belges*, Bruxelles, Le Cri, 1994.

JANIN Cl., *Victor Hugo en exil*, Paris, s.e., 1922.

LIEBRECHT H., *Victor Hugo pendant l'exil*, dans *Bulletin de l'Académie royale de langue et de littérature françaises de Belgique*, t. XXX, fasc. 3, 1952.

MIQUEL P., *Hugo touriste, 1819-1824. Les vacances d'un jeune romantique*, Paris, La Palatine, 1958.

PEETERS G., *Victor Hugo et Spa*, Bruxelles, Peeters, 1985.

PICHOIS Cl., *L'Image de la Belgique dans les lettres françaises de*

1830 à 1870. Esquisse méthodologique, Paris, Nizet, 1957.

ROBICHON J., *La prodigieuse aventure de Victor Hugo s'arrêtant à Waterloo pour terminer son œuvre la plus célèbre*, dans *Revue de Bruxelles*, 1959.

SAINT-FERREOL A., *Les Proscrits français en Belgique ou la Belgique contemporaine vue à travers l'exil*, Bruxelles, Merzbach, 1870.

Les éditeurs belges de Victor Hugo et le banquet des Misérables, catalogue d'exposition, Bruxelles, Crédit Communal-Université libre de Bruxelles, 1986.

VANDEWIELE M., *Bruxelles, refuge des conspirateurs*, Bruxelles, 1939.

VANWELKENHUYZEN G., *Les Belges aux funérailles de Victor Hugo*, dans *Bulletin de l'Académie royale de langue et de littérature françaises de Belgique*, Bruxelles, t. XLIX, fasc. 1, 1971.

WAUWERMANS P., *Les Proscrits du coup d'Etat en Belgique*, Bruxelles, Société belge de librairie, 1892.

ZYLBERGELD L., *Victor Hugo, Bruxelles et la Belgique*, Bruxelles, Crédit communal, 1985 (catalogue d'exposition).

Victor Hugo dessinateur

CASO P., REBUFFAT J. et SANCHEZ N., *Les Dessins de Victor Hugo, Galerie l'Homme qui rit*, Bruxelles, Mecenart, s.d. (Les «portefeuilles d'art» de Mecenart).

CASO P., *Dessins d'écrivains: de Victor Hugo à Jean Cocteau*, Paris, Dutilleul, 1955.

CORNAILLE R. et HERSCHER G., *Victor Hugo dessinateur*, Paris, s.e., 1947.

PIERROT R. et PETIT J., *Soleil d'encre, manuscrits et dessins de Victor* Hugo, Paris, Paris-Musées – Bibliothèque nationale, 1985 (catalogue d'exposition).

ROSSI, A. (sous la dir. de), *Victor Hugo dessinateur*, Bruxelles, Musée d'Ixelles, 1999 (catalogue d'exposition).

Victor Hugo: récits et dessins de voyage, Tournai, La Renaissance du Livre, 2001.

Victor Hugo voyageur

BARRERE J.-B., *Victor Hugo à l'œuvre: le poète en exil et en voyage*, Paris, Klincksieck, 1965 (Bibliothèque française et romane. Série C: études littéraires, 11).

BEDNER J., *«Le Rhin» de Victor Hugo, commentaires sur un récit de voyage*, Groningen, J. B. Wolters, 1965.

BIRE Ed., *Victor Hugo après 1852: l'exil, les dernières années et la mort du poète*, Paris, Perrin, 1894.

BLONDEL M. et GEORGEL P. (sous la dir. de), *Victor Hugo et les images*, colloque de Dijon, Paris, Aux Amateurs de livres, 1989.

BOURG T. et WILHELM F., *Le Grand-Duché de Luxembourg dans les carnets de Victor Hugo*, Luxembourg, RTL éditions, 1985.

CHENET-FAUGERAS Fr. (textes rassemblés par), *Victor Hugo et l'Europe de la pensée*, actes du colloque de Thionville-Vianden, Paris, Nizet, 1995.

CHIROL E., *Victor Hugo et la Normandie*, Musée de Villequier, Rouen, 1985 (catalogue d'exposition).

CLAUDON Fr. (textes rassemblés par), *Voyage vers les Pyrénées*, Paris, P. Lebaud, 2001 (Civilisations).

DEDEYAN Ch., *Victor Hugo et l'Allemagne*, Paris, Lettres modernes, 1964.

GAUDON J. et BLEWER E., *Le Rhin*, Maison de Victor Hugo, Paris-Musées, 1985 (catalogue d'exposition).

GAUDON J., *Notes sur «Le Rhin»*, dans *Travaux de linguistique et de littérature*, t. II, fasc. 2, Strasbourg, 1964.

GAUDON J., *«Le Rhin». Lettres à un ami*, Paris, Imprimerie nationale, 1985.

HUGO Ch., *Victor Hugo en Zélande*, dans *La Liberté*, Paris, novembre 1867.

HUGO V., *Fragments d'un voyage aux Alpes*, dans *Revue de Paris*, août 1829 et *Revue des deux mondes*, août 1831.

HUGO V., *Le Rhin. Lettres à un ami*, Paris, Delloye, 1842.

HUGO V., *Le Rhin. Lettres à un ami, édition augmentée de 14 lettres*, Paris, Jules Renouard et Cᶦᵉ, 1845.

HUGO V., *Le Rhin*, Strasbourg, Nuée bleue, 1991.

HUGO V., *L'Exil: l'archipel de la Manche*, Paris, Hazan, 2001.

SEEBACHER J., *Victor Hugo en 1843: le voyage aux Pyrénées*, dans *Elseneur*, n° 10, Caen, Presses universitaires de Caen, 1995.

Victor Hugo: récits et dessins de voyage, Tournai, La Renaissance du Livre, 2001.

Index des noms de lieux

Table des matières

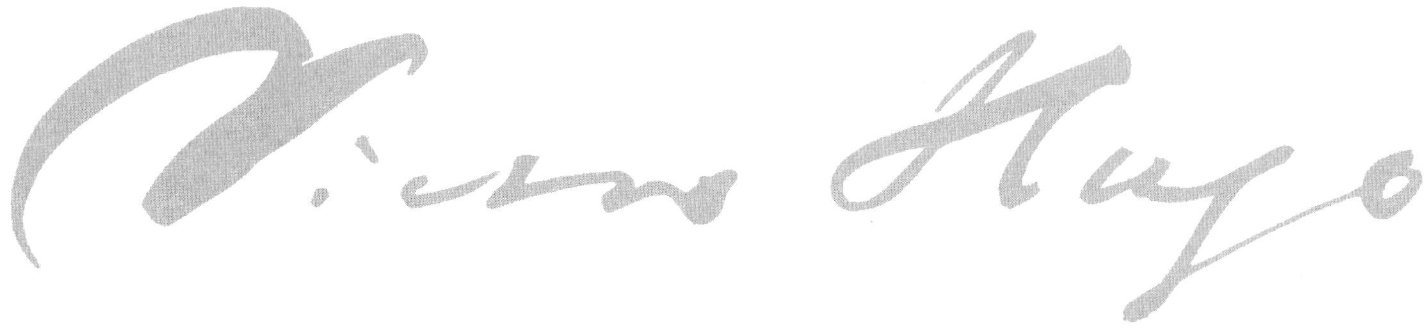

16 août — dimanche [...]

Cher Musin Berardi,

Vous qui êtes un admirable père, vous partagerez notre joie. Nous avons accompagné notre doux petit Serge à son départ, nous [...] heure de savoir qu'il deux est revenu. Aujourd'hui à 4 h. Alice nous l'a rendu. Je vois que vous les sachez pas moi. Je [...] mets aux pieds de Madame